❤ What About Love......

吳若權

ERIC WU

讓步，才會更進步！

發掘戀愛的天賦，創造雙贏的幸福

Contents

Part 3

對面子讓步，自信才會進步！

Part 4

對情緒讓步，情感才會進步！

Part 5
對**堅持**讓步，**溝通**才會進步！

Part 6
對**成見**讓步，**心靈**才會進步！

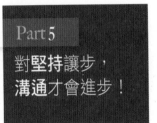

Contents

Part 7

對分手讓步，自己才會進步！

自序

找回天賦；舞出幸福！

每個人都有舞蹈的天賦，
若要把舞跳好，除了多練習之外，
還需要有勇氣及信心。
更重要的是：選擇適合自己的舞伴。

戀愛，是一支雙人舞！可惜，我向來就缺乏舞蹈的天份。歷經無數次的曲終人散，我很了解兩個人的舞步，有多麼艱難。

能夠依循生命的旋律，踩著動人的節奏，持續跳出優美的雙人舞，需要很多的誠意和努力，甚至是天賦。

以真正的舞蹈來說吧，我的小學生活，是在深山度過，每年校慶都要穿著原住民的服裝，表演山地舞，一片熱鬧、喧嘩、歡樂，遮掩了我笨拙的舞步。中學時遷居台北，當時校內流行跳土風舞，校外則盛行迪斯可，兩項舞蹈我都不及格。大學的舞會，我只會基本的三步華爾滋、四步布魯斯，每當聽見音樂下的是探戈、恰恰，就只好坐冷板凳了。

舞技很差的我，在不知檢討自己的年代，埋怨爸媽沒有遺傳給我舞蹈的細胞。直到長大以後才慢慢了解，其實每個人都有舞蹈的天賦，只不過被壓抑太久了，四肢都僵硬了，以致於聽不見音樂裡的節奏。若要把舞跳好，除了多練習之外，還需要有勇氣及信心。當然，更重要的是：選擇適合自己的舞伴。尤其，在對於新練習的舞步尚未駕輕就熟之前，好的舞伴眞的是最好的導師，可以帶著你漫步到雲端，舞技和膽識都突飛猛進。

坦白說吧！在感情路上，我曾以爲自己一直遇人不淑，到現在還經常慘遭滑鐵盧。細數我犯過的錯誤，還眞是洋洋灑灑、罄竹難書。包括：黏得太緊、節奏太快、跟不上拍、過度自我……這些都會把舞伴嚇跑。還有更糟糕的是，我曾以爲：讓步就是妥協、妥協就是犧牲、犧牲就會獲得對方的愛。

直到幾次心碎的分手，如晴天霹靂擊中感情的要害，我才恍然明白：讓步，不是妥協；妥協不是犧牲；犧牲換不到對方的愛；甚至連基本的尊重都會被自己糟蹋掉。在劈腿盛行的時代，舞伴還會邀請陌生人來段三人共舞呢！

戀愛，的確是一支雙人舞！在你來我往、你進我退的節奏中發現：讓步，愛情才會更進步。但是，所謂的「讓」，不是一味地退讓，既不是犧牲、也不是妥協。「讓」，其實是很高明的藝術。

最初級的「讓」，是代表「禮遇」，寧願傾盡自己所有，給對方最好的對待。「讓」的第二個層次，是代表「支持」，給對方在想法或做法上帶來贊同的力量。「讓」的第三個層次，是象徵「包容」，當對方犯錯，給他自新的機會。「讓」的最高層次，是演繹「成全」，當對方的心另有所屬，願意放手，讓對方去追求他要的真愛，自己也會有另一段幸福。

癡情的人，都渴望找到適合自己的舞伴，在幸福的旋律中，跳一支不會停頓、不會摔跤的雙人舞。當音樂響起，記得彼此提醒：在舞步進退之間，好好把握當下；在交流心靈之中，誠懇創造遠景。其中最關鍵的技巧是：除了專注凝視對方，還要一起眺望未來。

很多單身的人，長期處於孤單的狀態，都以爲自己只能靜靜地等待舞伴。其實，何妨把握音樂響起的每一刻，先練好自己的舞步？即使獨自翩翩起舞，也是一種幸福。

或許跟你一樣，我也是個還在等待舞伴的人。現在，請你跟我一起練習，跳支舞吧！

吳若權

PART 1

對戀人讓步，幸福才會進步！

從「求好」變成「討好」，
最關鍵的問題還是出在那句老話：「我是為你好！」
想要愛得長久，就必須可以接受徹底卸妝，
坦然面對彼此的真實自然，才能過正常生活。

他是好性友還是好男人？

嘿！這位小姐，
你能不能準時一點啊！
不好意思啦！
嗨！久等啦！
甜心寶貝和他的
超合先生分手啦！
心情差得很呢！
哇！真的假的!!
咦?我們的甜心寶貝
今天看起來怎麼那麼苦啊?

你不是說……，你們兩個超級合的？怎麼那麼快就……
是啊，我是說過我們兩個非常的合……
你們還記不記得，我前幾個月冒過一場水痘……？
在床上我們超合的。
哈哈！這種沒知識的男人啊，不要也罷。
噗！
他知道後，竟然怕被我傳染，嚇得連最心愛的名牌內褲都不要，一溜煙就逃跑了！
啊……
碰
寶貝，內褲留給你做紀念！不要再連絡了！掰！

願意照顧到病老

What About Love......

相愛，靠的是激情；相處，靠的是感情。
當「我們會不會愛到天長地久？」的判斷標準，
提升到「對方生重病時，我願不願意隨侍在側？」
你的答案會是什麼？

山盟海誓，永不分離！這就是戀侶相愛的最高境界嗎？甜蜜時候互許的承諾，要經歷多少人生的悲歡離合，才能驗證彼此愛情的堅貞，恐怕只有眞正體會過的人才知道。

雨媽和秉洋交往兩年多，曾吵過、也曾鬧過，每當兩個人有些不愉快，雨媽就會問自己：「我眞的要跟這個男人終老嗎？」只要這個答案還是肯定的，她就知道一切都只是暫時的意氣之爭，他們終必言歸於好，撥雲見日。

好友問雨嫣：「妳爲什麼可以這麼篤定，知道自己願意跟他終老？」雨嫣深思好久，終於在看見爸爸照顧病中的媽媽時，有了具體的答案。爸媽結婚三十年，日常生活總難免有些爭執和摩擦，但是自從媽媽臥病以來，爸爸始終很有耐性地陪在病房，夫妻兩人相依爲命的景象，讓雨嫣非常感動。

此後，雨嫣對愛情的價值判斷，不再是：「他究竟愛不愛我？」「我愛他有多深？」而是：「如果有一天我們都老了，而他生了重病，我願不願意日夜守候在他身邊？」

如果這個答案非常眞確，就表示這段感情經得起考驗。

當然，要給出肯定的答案，並非基於一時衝動或浪漫幻想，而是必須有過深刻的人生經驗，同時雙方也有非常良好而穩固的互動基礎。雨嫣一定要認爲秉洋值得她這麼做，心甘情願爲他付出，才有意義。否則，一味地委屈和犧牲，也很難讓愛持久。

花前月下，氣氛浪漫的時候，雨嫣把這個想法告訴秉洋，他感動地摟著她說：「傻瓜，我會把身體照顧好，不要讓妳操心。」

其實，如果要減輕伴侶的負擔，除了把身體照顧好之外，還要把情緒管理也練習好。

生老病死，是人生必經的階段，任何人都可能碰上。重病纏身雖令當事人不堪負荷，生病又愛亂發脾氣更會讓照顧者加倍辛苦。

有健康的身體，還要有良好的情緒管理，伴侶才會相處愉快；萬一失去健康的身體，更需要有良好的情緒管理，照顧者和被照顧者之間的深厚感情，才能在患難中更顯珍貴。

相愛，靠的是激情；

相處，靠的是感情。

當「我們會不會愛到天長地久？」

的判斷標準，提升到「對方生病時，我願不願意隨侍在側？」，也許有點殘酷，但也滿務實。

所謂的「不離不棄」絕非雙方共同享樂時，拿來增加情趣的甜言蜜語；而是在人生遭逢低谷之前，就必須要有的慎重考慮。

相愛程度究竟有多深，不用等命運來考驗彼此，自己就可以先檢驗自己。

把誤會留在枕邊

What About Love......

兩人意見不合、甚至發生口角時，
當下積極溝通，的確有助化解誤會。
但是，倘若時機尚未成熟，
應該勉強進行溝通，還是等彼此沉澱之後再說？

看了很多溝通的著作，上過不少溝通的課程，甚至自己也寫了一些溝通的書籍，我深信：當兩人相處有些誤會、發生爭議時，應該及早解釋清楚，別讓它留下疙瘩、造成陰影。

是的，這就是溝通的必要；然而，這也是溝通的難處。

隔夜茶，難喝，入口即傷胃。當天心裡生的氣若沒有消，帶著誤會睡覺，一定也睡不好，明天醒來負面的情緒會加倍。

於是，許多戀人像多年前的我一樣，急著找對方溝通，「來，我們把話講清楚！」如果對方沒有同樣的共識，只會覺得你急著想吵架，最典型踢到鐵板的回應是：「對不起，我現在不想談這件事。」

接下來，你更生氣了！

學過溝通這門課的人都知道：有效溝通，要在對的時間、對的地點、對的對象、對的主題等四個條件下進行，才會奏效。然而，很可惜的是，好像沒有人提醒我們，必須加上第五個、第六個條件：對的心情、對的氣氛。而且，所謂的「對」，並非以自己的觀點衡量，還要考慮對方的感受。

當以上的條件並不存在時，就不會是有效的溝通；若是勉強進行溝通，過程像在吵架，結果也不被接受，依然還是：有「溝」沒有「通」！

聽我分享了上述的溝通法則，女性好友敏怡很快附議。多年來的磨練，讓她學習到「把誤會留在枕邊」的溝通法則。

和伴侶發生誤會時，心裡有些不舒服的事，雙方能夠在當天解釋清楚，當然是最好的處理方式。但是，倘若溝通的條件尚未成熟，對方不願意做更進一步

的互動，勉強進行溝通只會讓情況更糟，這時不如告訴自己：「明天再說！」溝通這件事，欲速則不達；只要不讓自己「氣在心裡」，而容許暫時「把誤會留在枕邊」，未嘗不是更圓融的做法。

難就難在如何只「把誤會留在枕邊」，而不把悶氣帶到夢中？這其中最關鍵的原因，牽涉到自己對這份感情的信心。只要相信：問題遲早會解決，就不會急於一時；只要願意包容對方，增加自己的耐性，就不會把當晚睡前視為溝通的最後時間底限。

從前，我也常奉勸身邊的戀侶：「別帶著悶氣睡覺！」既然相愛，就在睡前和解；如今，經歷了人生很多的愛怨情仇，我也學會容許自己和對方暫時「把誤會留在枕邊」，睡醒之後，彼此都更冷靜，仔細想想，也許問題就不存在了。

即使我贊同「把誤會留在枕邊」的溝通原則，但是，我依然不支持「船到橋頭自然直」或「日久見人心」的說法。溝通還是要有積極的作爲，不是消極放任地「順其自然」。我們可以增加自己的耐心，拉長溝通所需的時間，卻不能坐視不理，以爲時間眞的可以替雙方說明一切。

誤會，並非美酒，不可能愈陳愈香。澄清，還是有些期限，雖然不必急於一時，但還是愈早愈好。彼此的關係，才不會被誤解的頑垢附著，陳年之後就變黑，洗也洗不掉。

無論是自己要解釋誤會，還是要求對方澄清，最好都能在合理的期限內完成。而所謂「合理的期限」究竟多長？要看雙方的關係而定，只要不超過彼此預期的範圍，都是可以接受的時間。不過，還是不要超過一個星期比較好。

畢竟，當誤會只是小冰塊，太陽曬曬就溶解；等到積成大冰山，就要等地球暖化了。屆時，即使冰山能溶化，卻同時帶來更大的危機，誰都不樂見呀！

從情敵身上學奧步

What About Love......

懷疑情敵出現時，
在盛怒之下輕舉妄動，會有什麼後果？
情敵慣用的奧步，
有什麼值得借鏡之處？

個性沉靜的婉柔平時很少留意擎宇對外的交友狀況，但最近朋友們紛紛提醒：「要小心喔，健身房有個叫葛蕾絲的美眉，經常纏著他聊天呢！」

剛開始她還不以爲意，甚至覺得這些朋友太愛八卦，竟然波及自己。直到不同圈子的朋友，都指向葛蕾絲有勾引擎宇的嫌疑，她才開始有點警覺，愼重其事地向朋友打聽，葛蕾絲有何過人之處？以便於知己知彼，好好應戰。

在不同的形容之下，婉柔對葛蕾絲的印象有了大概的輪廓。這個年輕女孩笑容燦爛、穿著時尚，連到健身房運動的一身裝備也全是名牌。聽說她很會撒嬌，經常纏著擎宇請教運動的問題，還曾經摸著擎宇腹部的六塊肌，讚嘆地說：「啊，好性感喔，我也要、我也要！」

可以想像她講這句話時當場的畫面——旁觀的男人皆陶醉，女人都暈厥。不僅如此喔，運動完她還會跟擎宇說：「爲了感謝你教我運動，我請你喝鮮果汁！」

聽到朋友形容得這麼仔細，婉柔簡直氣炸了。幸虧她是個很理性的女生，憤怒片刻之後，漸漸恢復平靜，在心中盤算著：「我該怎麼辦？」跟一般女生很不同的是，婉柔碰到挫折時，總有另類思考，而不是直接去吵、去鬧、去質疑。

雖然婉柔也曾想過，直接打電話叫擎宇過來解釋清楚，或衝到健身房去，當著三個人的面對質，但是後來想想，這些都不是眞正有效的方法。

懷疑情敵出現時，別在盛怒之下輕舉妄動。如果他們之間沒有曖昧，去吵去鬧只會讓自己變得很難堪；假設他們之間真有情愫，揭發醜行之後，恐怕會使地下情的進度更加速。

婉柔邀請這些爆料的好友，試著釐清：葛蕾絲身上究竟有哪些特質是自己所欠缺的，而這些特質卻正好會吸引擎宇。利用一次下午茶的時間討論，獲得這樣的結果：

首先，婉柔應該更懂得修飾、打扮自己，即使是居家休閒服，也不能穿夜市買的仿冒Hello Kitty睡衣。再來，婉柔不能因爲自己不愛運動，就覺得擎宇常去健身房，只會變得「頭腦簡單、四肢發達」，偶爾也應該陪他一起去。還有，就是婉柔應該多向擎宇表達對他的尊重及愛慕，讓男友有點基本的尊嚴及少許的優越感。

打扮、撒嬌、討好、誇讚……這些都是狐狸精最常使用的招數，看在正牌女友眼底，總覺得這是搶別人男友的奧步，偏偏很多男人都愛吃這一套。

當愛情或婚姻陷入情敵出現時的保衛戰，不妨跟對方學點奧步，適時使出渾身解數，讓情人和情敵都見識到：「老娘不是好惹的，那些招數我耍得更高明！」才能坐穩愛情贏家的寶座。

從壞處中看見好處

What About Love......

尋找理想情人時，該列出多少條件，
才足以說明自己擬定的幸福目標？
談戀愛、找對象，
理想和務實，該如何抉擇？

跟幾個年輕美眉聊天，發現她們對於所謂「理想情人」的條件，有「遇強則強」、「遇弱則弱」的傾向。意思是說，如果美眉覺得自己條件好，就會自視甚高，認爲外貌、身材、收入、談吐、個性……諸多條件都必須能夠與她匹配，才能符合「理想情人」的要件。

不過，也常因爲這些美眉對理想情人要求的項目很多、標準很高，所以眞正能找到「門當戶對」伴侶的機率相對很低。曲高和寡的結果，多半還是落得我曾提出的理論：「正妹常坐冷板凳。」

自認條件差的美眉，也不見得容易談戀愛；原因分爲兩種，也都很極端。其中一個原因是：「人窮志不短。」即使覺得自己條件差，也不願意屈就條件比她更差的男人。另一個理由是：「太過於自卑。」刻意去找條件更差的男人，偏偏這些男人比她更沒自信，所以也未能如願。

無論自身條件好壞，這些美眉在尋找理想情人時，都犯了相同的錯。列出的條件太多或太少，同樣都是侷限，不容易命中幸福的目標。談戀愛、找對象，還是務實一點比較好，不要被想像中的錯覺，誤導了在真實人生中應該有的選擇。

眞實的人生並不完美，找對象尤其很難百分之百如願。每個人的確應該先知道自己要的是什麼，但是並非條件設定愈多，找到的對象就會愈精確。比較務實的做法是：列出所有「理想情人」的條件之後，必須排定順序，選擇最優先的前三項；能夠符合這幾個條件的人，就可以放入戀愛對象的候選名單中。

接下來要篩選的條件，並非是排列於「第四位」、「第五位」的項目，而是逆向思考，列出哪三個項目是你最不能接受的。例如：「抽菸」、「有暴力傾

向」、「不太顧家」……以作爲排擠條款。只要符合當初設定的前三個優先條件，又沒有碰上最排斥的三項排擠條款，就算是符合理想情人的條件了。

關於理想情人的條件，每個人都希望對方具備的優點愈多愈好，卻忘了該知足惜福的是：無法接受的三項排擠條款，對方都沒有沾到邊。

這是另一種很少被提醒的戀愛哲學：從壞處中可以看見好處。即使對方真的不是非常優秀，但他幸運地沒有犯到你最忌諱的地方，就應該値得感恩珍惜。

找理想對象，不只要看他具備什麼你欣賞的優點，還要想想他絕對不能有哪些你無法忍受的缺點，通過這些最低標準的檢驗之後，幸福就是從六十分起跳，只要兩個人願意共同努力，就有機會加到九十分以上。如果，只肯根據「門當戶對」的高標準來挑選對象談戀愛，兩個人的幸福就是從九十分往下扣，相處到最後可能雙方都不及格。

設定「理想情人」的條件時，若只是執著於應該具備的正向條件，不斷挑三揀四，容易讓自己變得很「龜毛」，看誰都不順眼。反之，在應該剔除的負面條件中，慶幸對方真的都沒有這些缺失，可以讓自己的心變得更寬容，彼此的相處也會更自在。

相愛後更要多發好人卡

What About Love......

相愛的付出，是需要彼此激勵的。
伴侶之間，小小的稱讚與肯定，
都是為幸福加分的好方法。
但如果很害羞說不出口，該怎麼辦？

還沒有跟吉米正式交往之前，被稱爲系花的紫萱最擅長的事，就是發好人卡！幾乎每個慕名而來的追求者，都收過她發出的好人卡。跟其他女孩不同的是，她發的好人卡，既精緻又誠懇，讓那些吃了閉門羹的男孩，感動不已，堅稱此生若無緣，來世一定還要和她做夫妻。

原來，紫萱拒絕男孩的追求，並不只是口頭上說：「你是個很好的人，只

可惜我還沒想談戀愛。」她會認眞地考慮許多天，然後親筆寫信、做卡片，有空時甚至還設計很精美的書籤，上頭並抄錄文壇名家的幸福小語，就是希望對方珍惜年輕有用之身，別讓此生的幸福斷送在求愛被拒的陰影裡。

每個男孩收到這樣的好人卡，難免有些失望悵然，卻都很珍惜被她稱讚的隻字片語，如同傳家之寶般好好收藏。

直到幸運兒吉米出現，和紫萱出雙入對後，如蒼蠅般揮之不散的追求者，才死心地將渴望轉爲祝福。但是大家都很好奇，爲什麼吉米沒有收到好人卡？得了便宜還賣乖的吉米，很認眞地向關心的朋友坦承：「誰說我沒有收到好人卡？我幾乎每個星期都收到一張啊！」難道，吉米是被紫萱拒絕過很多次，靠著窮追不捨的毅力，才抱得美人歸嗎？

衆說紛紜，吉米都一一否認。搞了半天大家才弄清楚，吉米和紫萱正式交往之前，的確沒有收過紫萱發出的好人卡；反而是兩人成爲戀人之後，深愛吉米的紫萱，只要在感動於他的付出時，都會親手製作精緻的卡片或書籤，但不再抄錄名家雋語，而是用很簡單的句子，寫下內心的感恩。例如：「你好好喔，我好愛你！」「你對我眞的很好，我十分珍惜。」「雖然你默默地付出，但我都知道，很感動！」諸如此類的字句，難怪吉米臉上總是洋溢著幸福的笑意。

確定彼此已經非常相愛的伴侶，常把對方的付出視為理所當然，屢次忘了及時說出心中的感謝。對方也許並不在意、也不盼求感恩的回饋，但久而久之，熾烈的熱情缺乏柴木的助燃，漸漸就熄滅了幸福的火種。

相愛的付出，需要彼此激勵。伴侶之間，小小的一個動作，哪怕只是稱讚對方：「你眞是個好人！」都是爲幸福加分的好方法。

有些情人會以「我只是不善表達，其實我有感激在心啊！」為藉口，而鮮少展現感恩的行動力；但是，表達感恩的方式有千千萬萬種，並不限於口頭上的道謝，也可以幫對方做一件事、送對方一份禮物、給對方一個擁抱……如果這些都做不來，就寫張感恩的便條紙放在他的皮包裡，或貼在晨起刷牙洗臉時必然會看到的化妝鏡上。

開始戀愛之前，任誰都怕自己會收到「好人卡」；但是，確定相愛之後，善用「好人卡」卻可以帶來更多的幸福感。即使，愛到了一個瓶頸，不得不在人生轉彎的地方分手，誠懇地發送「好人卡」再道別，也會讓分手後轉身的姿勢，變得更爲優美。

愛過之後 留下的品味

What About Love......

愛情的歷練不同，
每個人的收穫也都不一樣。
從金錢、禮物、品味到美好的回憶……
哪一種收穫，最有意義？

花了那麼多心血談戀愛，除了感情的經驗與相處的智慧之外，什麼是最大的收穫？

茱莉的答案是：一本存摺。她曾經愛上有婦之夫，一開始就知道不會有結果。兩人都抱著共度末日的態度擁抱這份感情，既激烈又悲壯。

決定回歸家庭的時候，他留給她一本存摺，裡面的金額超過六位數。從浪漫的夢境覺醒之後，茱莉變得十分理智，金錢雖不能彌補青春的流逝，卻成為往後生活的基礎。愛恨過後，「留點錢，比什麼都實在！」是她的覺悟。

除了金錢，有形或無形的禮物，也常是許多情人在戀愛結束後，可以安慰自己在那段感情中沒有白活的理由。靜紋的經驗很特別，她的前男友很喜歡送禮物，甚至把他媽媽往生前留下來傳家的古董玉環，都拿出來送給她當作愛的信物。

兩人的感情走到盡頭，互道珍重之後，靜紋三番兩次提出要物歸原主，前男友卻表示：「這個玉環跟妳有緣，就當作妳後半輩子是用友誼來幫我保管它吧！」

靜紋收下這個珍貴的禮物，其實也是重大的託付。好友起鬨，要她拿去古董店估價，靜紋卻認為：這份禮物絕對不是金錢可以衡量的。在世俗的眼光中，她得到的是古董玉環；但在她的心中，獲得的卻是一個男人對她的疼愛與信任。這份禮物所隱含的無形價值，反而是她最大的收穫。

戀愛經驗豐富的凱珍，提出另一種觀點分享。她認為：相愛的兩個人若不得不分手，能夠留給對方最大的收穫，應該是品味的提升。

凱珍向來喜歡年紀比較大、而且很有內涵的男人，在相處的過程中，對方是她的情人、也是她的老師。人生處處皆學問，約會更是成長的課堂。談過幾段和不同專業領域男士的感情，她陸續學會分辨紅酒的年份、懂得欣賞古典音樂的流派、知道品嚐美食的祕訣……對她而言，提升人生的品味，比從前更懂得享受人生的趣味，才是感情中最大的收穫。

也許是凱珍的年紀還很輕吧，她不知道目前正在經歷的這些品味的鍛鍊，多少都還是和物質有很大的關係。有些人生品味，純粹是心靈涵養上的滋長，不見得是別人可以提供，必須靠自己心領神會。

愛情的歷練不同，每個人的收穫也都不一樣。只要有助心靈成長的經驗，都是很正面的覺悟。從金錢、禮物、品味、到一段美好的回憶……都可以是有意義的收穫。

對不同收穫的評價，其實也標示了自己的心靈修養程度，投射出自己內在的渴望與恐懼。這個部分，才是分手之後最值得觀察的角度。好好思考及反省，必定可以更深刻地認識自己。

從求好到討好

What About Love......

相愛，難免就有期待；
最常聽到一句話：「我是為你好！」
可曾想過：這個「好」是自己認為的好、
還是對方真正需要的好？

追求更好，是幸福的基本動力，只要目標合理、方法正確，都無可非議。

但是，一切努力最好都只用在自己身上，而不是在別人身上求好；否則，彼此都會很痛苦。

尤其，情人之間最容易犯忌，硬是把自己所要求的好，無限上綱地擴及到對方身上，不吵架才怪。

倩倩很愛乾淨，沒事就整理家務，她的房間像裝潢雜誌裡的照片，衣物擺放得井然有序，連顏色都有分類設計。

相較之下，當她進了慶明住處，四處堆積雜物，鋪滿灰塵，她實在看不過去。兩人本來還興高采烈欣賞著有線電視電影台的動作片，廣告時間她就開始唸他，逼他利用這幾分鐘整理，還說：「不要整天黏在沙發上，你的人和房間，都會變成麻糬。」

不難想像，慶明的態度就是來個「相應不理」，繼續吃洋芋片、看電視。倩倩開始猶豫，該不該動手幫他整理？

傳統女性碰到這種情況，二話不說就會開始動作；現代女性會考慮後果，一旦起了頭，以後就會有做不完的家事，慣壞男人養尊處優。

經過一番掙扎，倩倩決定睜一隻眼、閉一隻眼，等將來有機會再提醒他，不要急於一時，省得兩人吵架。

倩倩之所以這麼聰明，就是因爲她姐姐暖暖不久之前才剛發生的慘劇，讓她引以爲鑑。

暖暖跟男友分手，就是基於「恨鐵不成鋼」的原因——她希望個性疏懶的

他，能夠變得更上進。

之前，她鼓勵他報考英文檢定，幫他繳補習費、買了教材，甚至答應開車送他去上課。朋友都笑說：「妳不只是倒貼，根本已經變成他的媽！」暖暖還是沒有覺悟。

結果，男友補習補了半年，沒有通過英文檢定，暖暖去補習班了解狀況，發現他經常翹課。原來，他下車之後，目送暖暖離開，就跑去看電影、逛街。暖暖認清眞相，感到灰心，斷然提出分手。

自己求好，可以更好。對別人求好，很容易變成討好。愈是期望對方做到你要的標準，軟硬兼施的結果，都會有副作用。給軟的，就慣壞他；來硬的，就會吵架。這是情人相處的困境，也常發生在親子關係裡。

莉亞是個年輕媽媽，爲了鼓勵孩子上鋼琴課，破例准許他可以吃炸雞，還答應買電視遊戲機給他。錯誤的獎勵，變成扭曲的討好；而求好的目標，並沒有達成。她的孩子對鋼琴沒興趣，每次上課都在打瞌睡，回家也不練習，結果炸雞愈吃愈胖、遊戲愈玩愈上癮……鋼琴學不好，還算事小；一旦管教變得困難，事情就鬧大了。

從「求好」變成「討好」，最關鍵的問題還是出在那句老話：「我是爲你好！」這個「好」是我方自己認爲的好、還是對方眞正需要的好？

若是前者，就省省力氣吧！若是後者，他自己會想辦法變好，毋需別人對他百般討好。

走感情的星光大道

What About Love……

愛情，若是舞台，就會有掌聲和噓聲。
彼此都是演員、也是觀眾，
學會接納彼此的缺點和懂得欣賞對方的優點，
這兩件事，哪一件比較重要？

熱戀期間，燕妃和道明的互動非常頻繁。他們倆是朋友眼中的才子佳人，外型出色、內涵豐富，各自的室友都拜讀過對方的電子情書，大家戲稱可以參加文學獎的比賽，不但文字精鍊，還押韻呢！

燕妃從小學鋼琴、喜歡爵士音樂；道明擅長古典吉他、聽日本演歌。兩人常互寄音樂家或歌手的生平故事給對方欣賞，各自說起音樂的創作背景皆如數家珍，還會連結 Youtube 網站的影片，讓對方欣賞經典歌曲的表演。

周圍的朋友都很羨慕他們的交往方式，因爲他們傾力展現各自的內涵，豐富了彼此的生命。閨中密友婉芬向燕妃說出內心的感受：「你們眞的都好優秀，不像我跟男友整天就是吃喝玩樂，累了回家看 HBO！」

燕妃並不否認，交往初期的確感覺心靈豐收，好像從學校畢業後，就不曾有人如此急切地推著自己往前走，深怕落後。可是，她的姐姐感情經驗豐富，則一語道破：「妳會不會覺得這種戀愛方式，好像在參加才藝競賽喔，不會累嗎？爲什麼他推薦一首經典好歌，妳就趕緊介紹另一個心靈作者？」

剛開始被姐姐這樣毫不留情地戳破，燕妃還會強辯：「哪有，我只是很樂於分享！」可是，時間久了、次數多了，她眞的發覺這樣的互動模式會有問題。各自都急於把擅長的才藝拿出來展現，卻忽略對方眞正需要的是什麼。好像急著要對方幫自己打分數，而且還很篤定地想要拿高分。

交往初期，彼此都會禮尚往來地給對方肯定；相熟以後，客套讚美很快就被尖刻的評論取代。甚至吵架時，還會用來攻擊對方最脆弱的地方：「你的品味眞是有問題，那種類型的歌曲太芭樂，有點音樂素養的人，是不會喜歡的！」

從某個角度來看，情侶戀愛、夫妻相處，難免都有些權力鬥爭的影子，出手的目的未必是想真正得到什麼實質的利益，但至少會要回自己的面子，或爭取某些決策的主導權。

伴侶之間的競爭心態，若沒有很快地轉化為合作，就很容易變成批評。很多相愛的人喜歡鬥嘴逞強，好辯到連外人都看不下去的地步，就是因為他們把感情當選秀，彷彿眾星雲集、爭奇鬥艷，非要自己從星光大道上脫穎而出，否則絕不善罷甘休。

感情要能持續長久，攜手同行的良伴，除了走上星光大道享受榮耀之外，也要能坦然面對走下星光大道的平實人生。然後，忘掉人前的掌聲，接受人後的不完美。學會接納彼此的缺點，跟懂得欣賞對方的優點，這兩件事都一樣重要。不要只是盡一切努力展現才華，卻不願把自己的缺點告訴對方。

愛情，或許是個舞台。熱戀的人都曾經用心裝扮，期待在粉墨登場時贏得掌聲；但是，想要愛得長久，就必須可以接受徹底卸妝，坦然面對彼此的真實自然，才能過正常生活。

你會「談」情「說」愛嗎？

Q：請仔細觀察以下文字迷宮，最甜蜜的愛情語言就藏身其中，你找到了嗎？

相	多	靈	忘	傷	告	白	福	專	的	美	久	靈
愛	溝	幸	通	才	交	心	才	體	讓	愛	恆	情
靠	通	學	相	愛	的	付	出	要	彼	此	激	勵
的	常	會	情	尊	重	比	了	解	更	重	要	迷
是	交	讓	相	彼	心	情	衷	愛	情	等	酸	善
激	心	步	有	信	任	才	有	真	的	自	由	待
情	能	愛	相	彼	你	可	以	要	抓	的	自	自
相	讓	情	心	也	敬	對	愛	會	住	口	誠	己
處	愛	才	蜜	需	情	結	愛	更	你	擁	心	才
靠	恆	會	愛	的	事	的	事	情	要	路	更	能
的	溫	更	用	創	意	保	持	愛	的	新	鮮	寬
是	相	進	心	機	出	言	要	彼	幸	直	勵	容
感	卻	步	蜜	忘	傷	告	白	福	福	的	覺	對
情	樂	愛	要	緣	分	也	需	要	時	機	的	方

請將文字迷宮中，屬於戀愛的話語圈選出來，你也可以感受到戀愛的魔力。（答案請見下頁）

A：你答對了嗎？

相	多	靈	忘	傷	告	白	福	專	的	美	久	靈
愛	溝	幸	通	才	交	心	才	體	讓	愛	恆	情
靠	通	學	相	愛	的	付	出	要	彼	此	激	勵
的	常	會	情	尊	重	比	了	解	更	重	要	迷
是	交	讓	相	彼	心	情	衷	愛	情	等	酸	善
激	心	步	有	信	任	才	有	真	的	自	由	待
情	能	愛	相	彼	你	可	以	要	抓	的	自	自
相	讓	情	心	也	敬	對	愛	會	住	口	誠	己
處	愛	才	蜜	需	情	結	愛	更	你	擁	心	才
靠	恆	會	愛	的	事	的	事	情	要	路	更	能
的	溫	更	用	創	意	保	持	愛	的	新	鮮	寬
是	相	進	心	機	出	言	要	彼	幸	直	勵	容
感	卻	步	蜜	忘	傷	告	白	福	福	的	覺	對
情	樂	愛	要	緣	分	也	需	要	時	機	的	方

若權的幸福通關密語

「愛在心底，口難開？」或「說盡甜言蜜語，卻得不到真愛？」以上兩種情人最常見的溝通障礙，你的問題出在哪裡？前者，若不是自尊心太高，就是對於表達感情的辭彙，理解或記憶的不夠多。有些人很愛面子，彷彿先說出愛，就讓自己失去感情的優勢；另一種人，則是誠意夠、也想說，但總是找不到適當的情話來說。

要克服「愛在心底，口難開？」的障礙，還是要放下身段、多練習，例如：閱讀好書、看場電影，都能在「戲如人生」的對白中，學到溝通語彙的精采。倘若，問題出在「說盡甜言蜜語，卻得不到真愛？」，而誠懇度又不容置疑，必定是說話的態度、或表達的時機有了差錯，針對這點積極改進，就能打動對方。

PART 2

對勝負讓步，智慧才會進步！

感情的世界，通常只有雙輸或雙贏，
單方面的優勢，並不足以撐起兩個人的幸福。
與其力求勝出，不如相知相惜、互敬互愛，
幸福才能在兩人心中留下永恆的光彩。

相處，還是以誠實為上策

跟你說喔說，Peter的女友徹夜未歸，隔天Peter問起，女友說是玩太晚，就直接睡朋友家。
Peter半信半疑，私下打電話給女友的姐妹淘，但沒有一個人知道這件事。
原來你們女人也很愛玩嘛？
嘿嘿，這主意倒是不錯……

死黨2號：「他在打麻將，
手氣正旺，不方便接電話耶。」
小張，我家那口子在你那嗎？
死黨1號：
「對！對！他在我這裡。」
兄弟，你在哪裡啊？你女友在找你，我跟她說你喝醉了在我家睡覺，等下回家別忘了喝點酒，裝一下喔……
嘿嘿……
嘻嘻……

B咖情人受歡迎

What About Love......

在感情的舞台上，人人都是自己戀情的主角，
倘若覺得自己的條件不夠好，
該如何表現特質、該怎麼藏拙，
才能恰如其分地展現吸引人的魅力呢？

整個經濟大環境很不景氣，連帶影響電視媒體圈，爲求生存，電視台壓低綜藝和談話性節目的製作成本，首先被砍的就是一線主持人的酬勞。過去這些當紅主持人，主持一集的酬勞，平均約十萬到三十萬，如今配合撙節預算的政策，可能刪減爲五到二十萬，不願降價的一線主持人，隨時可能被B咖取代。

所謂的「B咖」主持人，就是指二線藝人，以接通告維生，他們有才藝、

會搞笑、擅長編故事，曾經在參與演出時，替節目締造過很高的收視率。電視台爲了大幅降低製作成本，找二線藝人主持節目，每集主持費大約一到兩萬，只要收視率能維持在一般的水準，就很划算了。

對於這個現象，有些危機意識高的一線主持人，敏銳地警覺娛樂市場環境的改變，願意配合降價，或是皮繃得很緊，隨時準備應變。有些老神在在的主持人，則不看好B咖能撐起一片天，等著看後勢發展。

顧問會議空檔，我在茶水間碰到小莊，他是公司的資深業務，除了本身的行銷專業之外，還很有表演天份，曾經在尾牙晚會中模仿政治人物，把場面搞得很熱鬧。

看我手上正拿著報紙的娛樂版，聯想力很強的他，笑著跟我說：「這是B咖出頭天的時代！連談戀愛的市場，都是B咖比較搶手！」理由很簡單，因爲B咖「俗夠大碗」！

說來有趣，小莊跟前女友分手三年了，本來以爲就此各分東西，沒想到日前她又回頭找他。當初前女友是被一位條件很好的企業小開追跑的，對方學歷高、多金又帥氣，而且即將接掌家裡的事業，相形見絀之下，小莊自願退出，成

全他們。

失戀後的他，消沉了半年多，才覺悟到人還是要力爭上游、發憤圖強，終於闖出好業績。

小莊自認是B咖，即使已經升任業務部門小主管了，還是很謙虛，繼續勤跑基層，完全能夠掌握客戶的需求及動向，業績持續向上成長。而隨著工作順利，連帶地愛情也轉運了……

跟前女友復合後，小莊才知道：B咖其實也很有魅力！或許，經驗和實力都不是第一，但正因為如此，所以表現得更加謙虛、踏實、努力、體貼、周到……這些特質都是吸引人的地方，也是B咖能出頭天的重要原因。

但是，並非所有的B咖都能因爲表現謙虛、踏實、努力、體貼、周到……而鹹魚翻身。有些身陷其中的人，總是怨嘆自己時運不濟或資質不夠，其實，關鍵並不在於運氣或資質，而是由內而外散發的自信夠不夠？還有，是否具備眞正的實力？

大部分的B咖，經常忽略自信的重要，不知如何讓「謙虛」與「自信」並存，以爲實力還不足夠，就無法以眞誠的面貌展現自我，忘了表現極致的努力，同樣也可以贏得掌聲，而失去應有的光彩。還有少部分的B咖，初挑大樑，爲了強裝鎮定，過度武裝自己，也容易令人生厭。

誠如「自卑」與「自大」總在一線之間，B咖若要出頭天，就該在「自卑」與「自大」之間，找到「自信」，這樣就會很迷人。假以時日，B咖升級為一線，有了成就，還能虛懷若谷，才是真正的贏家。

敗犬女王的致勝祕訣

What About Love......

「姊弟戀」，究竟是幸或不幸？
年紀較長的女性面對年輕男性追求時，
看到他血氣方剛、甚至有點不成熟的一面，
該用什麼態度因應？

隨著電視偶像劇「敗犬女王」收視拉紅盤，「姊弟戀」的話題再度被搬上檯面。其實這不是什麼新鮮話題，自古以來，「女大男小」的佳偶絕配就不少，我身邊的朋友，也有非常成功的案例。彙整這些「姊弟戀」的幸福模式，裡面有幾個關鍵要素，值得參考。

年紀較長的女性，自己保養得宜，也懂得欣賞男性伴侶血氣方剛的一面，即使他有點不成熟，都還覺得滿可愛。而且，她的個性雖然獨立自主，偶爾也會有小鳥依人的溫柔神態，讓年紀較輕的男伴，能適時展現陽剛威武的光采，而不是從頭到尾都屈居女方的優勢之下，變成一個唯命是從的奴才。

能夠和比自己年紀大的女生談戀愛，這樣的男生多半很有主見，不受社會的主流價值所囿限，勇於爭取自己想要的幸福，忽視別人好奇的眼光。他有些頑童的赤子之心，卻又力爭上游想變身爲熟男，這種努力上進的精神，最能得到姊姊型情人的疼愛。

此外，他還必須比一般男人更有雅量。畢竟，要態度從容地和一個實際年齡、金錢收入和社會地位都比自己高的女人在一起，並不是很輕鬆的事，如何保持自在的心情，需要很多的自信。否則，很容易被貼上「吃軟飯」的標籤，即便他根本就不依靠她的資源過活，還是會被瞧不起、或遭冷潮熱諷的八卦波及。這對「姊弟戀」往往是很致命的傷害，男人若承擔不起，愛就無以爲繼。

上述男女兩方的要件兼具，才能夠締造成功的姊弟戀，讓「敗犬」變「勝犬」，展現兩人眞愛無敵的情感。千萬不要因爲「敗犬女王」紅了，就覺得自己可以試試看，即使來自社會輿論的壓力鬆綁，如果本身不具備相當的條件，就算

別人不唱「衰」，自己也未必能快樂自在。

過去的「姊弟戀」，常被界定成「年紀」上的女大男小，但這並非符合時代潮流的唯一判斷標準。新式的「姊弟戀」，應該跳脫「年齡」的定義，擴展到其他更多條件，鼓勵男人願意接受比他條件優秀的女人。

現代女性的表現都很卓越，也有許多比同年齡的男性傑出，卻受限於傳統「男尊女卑」的舊勢力，比較不容易找到好對象，光是「女性三高（身高、學歷高、所得高），沒人敢要！」的說法，就給條件優異的女性帶來許多不必要的威脅感。

假設一個極端的案例：企業公務車的司機，出於真心地戀上高階女主管，即使他年紀比她大個幾歲，雙方情投意合展開熱戀，他們可以修成正果、並得到祝福嗎？

若能擴展「姊弟戀」的定義，展現更寬闊的包容度，當社會成就低的「小男人」，可以和胸懷宏志的「大女人」共譜真愛戀曲，另一種「姊弟戀」將造就更多幸福的伴侶。

女強人不愛男超人

What About Love......

勢均力敵、旗鼓相當的兩個人，
看起來似乎相得益彰，彷彿非常適配，
但是，這麼優秀的組合，
在愛情上就一定是好事嗎？

這可不是無厘頭的冷笑話謎語喔！「女強人和誰最匹配？」正確解答是：「男超人！」但是，理想境界在眞實生活中卻很難體現。雖然，女強人最愛的是男超人；但是，環顧身邊的實際案例，眞正會跟女強人在一起的，都不是男超人，反而是條件很普通、甚至很不起眼的男人。

在大企業擔任部門經理的宜安，有個年紀小她三歲的男友均岸。兩人不但年紀有點距離，學歷也有差異，連帶著社會成就及地位也大不相同。均岸是網路電玩測試員，薪水不到宜安的三分之一。但大體來說，宜安和均岸在一起時是很幸福、開心的。每當她提到小男友，言語表情盡是滿足，聽她說：「他好好喔，還會幫我按摩、做SPA耶！」大家就只能獻上祝福，不敢多發表意見了。

其實，宜安從前也交往過很傑出的男友，簡直就是個男超人。剛從美國拿到碩士學位回來，因爲他擁有華爾街的工作資歷，以及幾張金融專業證照，立刻受聘於顧問公司擔任要職，薪水和福利配套，優渥得足以和本地公司總經理相提並論。很可惜的是，宜安和他在一起時，並不快樂。

宜安形容這個超人男友，學識高、體格好、喜歡運動、對時尚有品味、談起紅酒如數家珍……但是，他很主觀，甚至嚴重到以「剛愎自用」形容也不爲過。他常很不留情地批評她的觀點，兩人一言不合就吵起來，互不相讓。朋友們打圓場說：「其實妳也是這麼優秀啊！」但結論卻是：兩個優秀的人在一起，誰也不肯服氣誰，彼此看待時，都會互相覺得對方很主觀吧！

勢均力敵、旗鼓相當，在愛情上未必是好事，除非能夠懂得相互欣賞、彼此禮讓。否則，自以為是的衝突、互不相讓的摩擦，很容易折損兩人幸福的元氣。

果然，宜安和超人男友很快地就理性分手，美其名爲「我們還是做好朋友！」其實是：「你很難相處，我再也不想忍受你！」

每當宜安想起這段戀情，就覺得很矛盾。情人之間，理智上的門當戶對，不見得能夠平衡彼此內心的瑜亮情結。未經世事的「女強人」，難免都會想跟「男超人」交往；一旦有過挫敗的經驗，就會改弦易轍，找個比較容易相處的平凡男人過下半輩子，她才能繼續做個表裡一致、完完整整的女強人。

反觀另一種條件優秀的女人，只能在職場上做女強人；爲了維護婚姻、顧及男人尊嚴，回到家就得化身爲小女人，角色的轉換是很大的挑戰，卻可因而換來「女強人」與「男超人」的幸福與和諧。

所幸，愛情這回事，沒有是非對錯，只要當事人「歡喜做，甘願受」，就能擁有自己想要的幸福。

話說回來，真正能相愛到天長地久的伴侶，應該都願意誠懇地回到愛情面前，以平凡人自居，放下孤傲，和對方謙和相處。因為，單方面的優勢，並不足以撐起兩個人的幸福。與其力求勝出，或渴望「彼此輝映、相得益彰」，不如相知相惜、互敬互愛，幸福才能在兩人心中留下永恆的光彩。

單身也要有好人緣

What About Love......

無論是否急著想戀愛、或結婚，
其實每個人的內心深處，
都存在一個感情的開關，
你的預設狀態是「on」或「off」？

每個人的內心深處，都有一個感情的開關，標示著「on」或「off」兩種不同的狀態，但是自己很難察覺，別人也幾乎看不出來。只有碰到可以讓自己感動的人與事時，才會顯現出一點跡象。

這個道理，的確不容易了解。以情同姐妹的舒妮和沁芬這對好友爲例，或許是很有代表性的詮釋。

舒妮對感情的緣分並不強求，甚至抱著終生都單身的準備；但是，她卻常常碰到主動示好的男人，出國旅行時的艷遇也特別多。

反觀，沁芬是個急著想結婚的女人，她最常掛在嘴邊的話語，就是：「愛神呀，你瞎了眼睛嗎？難道沒有看到我在窗邊等著邱比特的箭？」這些年來，她積極參加聯誼活動、社交派對，但始終沒有男人主動對她放電。

沁芬的好友都說：「是妳眼光太高！」沁芬總覺得：「見鬼了，我現在連姊弟戀都不排斥，就是沒有男人放馬過來。」她常常故意裝出恨得牙癢癢的模樣，向舒妮抱怨：「我看妳眞是『恬恬吃三碗公』，嘴裡說：『緣份可遇不可求。』手腳卻比誰都快！」

所幸，她們的感情眞的夠好，才沒有被這些鋒利的言詞傷到。無論舒妮戀愛運勢指數多高，不管沁芬等愛等到天荒地老，兩人的友誼還是那麼深厚。

舒妮和沁芬都沒發現，她們之間最大的差別，其實是兩人內心深處各自的感情開關，設定在不同的位置上。很顯然地，舒妮的開關是設定在「on」，沁芬的開關則是顯示著「off」。

儘管，舒妮對追求感情的態度和行動，都是消極而被動的；但是，因爲她內心深處的感情開關是「on」，所以她和別人的互動很友善、溝通態度很開放，她的眼角常流露情不自禁的微笑，她的嗅覺能觸及鮮花的芳香，她的耳朵總是飄著喜悅的聲音；就算自己的行爲很被動，也會吸引好的緣分主動向她靠近。

由於沁芬內心深處的感情開關是「off」，所以她的溝通常帶著批判，她的表情固定寫著拒絕，她的態度總令人誤解為：「你少惹我！」即使她那麼渴求愛神的眷顧，邱比特卻只看到她的擋箭牌，所以遲遲沒有把愛神的箭射向她的心。

口口聲聲想談戀愛、急著結婚的人，如果不自覺地把內心深處的感情開關設定在「off」的狀態，讓自己變成「絕緣體」，卻抱怨沒有人願意「來電」，用這種態度追求感情，豈不是緣木求魚？

只要感情開關仍設定在「on」的狀態，即使覺得自己心如止水，但潛意識裡並不缺乏對人的信心、對愛的憧憬，雖不急著和別人交往、也沒飢渴到要隨便找人上床，始終知道自己對什麼樣的人有好感，也不排斥如萍人生偶遇時飄來的眼光，這樣的人當然比較有機會碰到喜歡的對象。

讓感情的開關「on」起來，就如同把幸福的燈光點亮，無論身處多漆黑的夜晚，至少都會有自己對未來的信心相伴，就不會害怕孤單。

好情人的必勝學科

What About Love......

哪些學科可以鍛鍊出好情人的特質？
「善於溝通」和「邏輯清楚」，哪個比較重要？
「陽剛勇猛」和「膽小懦弱」的差別，
又有什麼具體標準？

有人問我：「好情人應該具備哪些基本條件？」其實，這個問題沒有標準答案，因爲每個人心中理想情人的標準和定義都不同。有人在意的是外貌，有人欣賞的是才華，有人看重的是個性……各種條件，各有所需，碰到了、愛上了，彼此情投意合就好，沒有什麼條件是最基本的。

然而，如果是在學的年輕孩子問我，我會換個角度回答：「如果你將來想成爲情場中的『萬人迷』，學校裡有兩個科目，是你必定要好好學習的！」

初次聽我這麼說，很多年輕朋友都猜測是「國文」和「公民與道德」。沒錯，「國文」眞的很重要，語文的鍛鍊，可以帶來更好的表達能力，溝通品質和內涵都因此而能提升。

「公民與道德」也很有意義，可以引導學生注重品格的養成和人際關係。但是，我覺得還有更要提前打好基礎的兩門學科，就是：「數學」和「體育」。

從小，我就拿「數學課」沒輒，小學到高中都經常考不及格；直到上了大學，我的數學成績才扶搖直上，跟數字相關的「微積分」、「統計學」和「管理數學」，都拿到九十分上下。親友都笑說：「你開竅了！」

也許他們說的沒錯，我的確是開竅了。但是，我心底眞正知道，自己所突破的，並非是數字的運算能力，而是我終於明白，數學講究的其實是「邏輯推理」。

從前我的數學不好，是被太多「只知其然卻不知其所以然」、而且相當繁複的加減乘除運算給困住了。直到我明白，數學所訓練的是「邏輯推理」，數字就變成只是邏輯推理過程中使用的符號，道理通了，正確的答案就會出現。

要想成為好情人，溝通的能力很重要。但是，在「很會溝通」之前，必須要具備正確而縝密的「邏輯推理」能力。愈是能言善道的人，愈需要具備邏輯推理來打底，否則口沫橫飛，只是強詞奪理，非但不能促進感情，還會傷害關係。

台灣的教育環境常把學生區分爲「語文」型和「數理」型兩大類。其實，這種分法未必正確，還把「語文」和「數理」兩種學科搞得很對立。事實上，「語文」和「數理」都是由大腦的左半邊負責學習運作，它們應該是相輔相成的。

除了「數學」，「體育」也曾是我高一時的夢魘。當時我所就讀的高中，要求必須會游泳才能畢業，偏偏我的運氣很不好，碰到一個只會嚴格要求、卻不認眞教學的體育老師。他似乎認爲，每個人天生都應該會游泳，遇到不會游泳的學生，他就直接強制推入水中，以爲學生嗆過幾次水，就自然會換氣了。

（我實在很替他慶幸，他是生存在一個學生和家長都很忍氣吞聲的時代；換成是今天，他應該早被媒體踢爆而失去工作了。）

當時，感到很無助的我，只好利用假日積極學習；除了找同學指導，我也會到游泳池畔自修，藉由觀察別人的泳姿，練習調整自己的動作。

那年夏天學會游泳之後，我才體認到：「體育課」不只是體能的訓練而已，更是人生逆境的鍛鍊。「體育課」教我們如何超越體能的限制，去突破人生的困境，而這項特質，正是好情人所必備。

同時擁有邏輯推理的能力、以及突破人生困境的勇氣，就不只是個好情人了，應該是各方面都很成功、很幸福的人。

醞釀十年的愛情

What About Love......

時間，是培養感情的絕對要素嗎？
歲月，究竟是被「蹉跎」掉，還是「醞釀」中？
多年的等待之後，青春不再，
驀然回首，是什麼因素讓多情人無悔？

《人間福報》曾刊載一則很有意思的新聞，提到一對彼此傾慕的戀人，歷經陰錯陽差的事件，相隔十年又重逢，再續前緣，終於修成正果。這對男、女主角分別是：英國的史提夫・史密斯和西班牙的卡門・魯茲佩雷茲。十年前，他們曾經相戀並訂婚，卻因爲遠距離戀愛的障礙而決定分手。

兩人決定各奔東西，五年匆匆而逝。始終無法忘情的史提夫寫信給卡門，希望能夠復合；這封信卻被卡門的母親順手擱在壁爐上，掉到壁爐背後的牆角而石沉大海。直到又過了五年的某一天，卡門在家裡檢修壁爐時，這封要求復合的信才重見天日。卡門並不確定史提夫是否依然單身，猶豫了很久，終於鼓起勇氣連絡，他們約在巴黎見面，重燃愛火，決定結婚。

朋友看到這則新聞，感嘆地說：「兩人都太任性，蹉跎了十年的時光。」

對珍惜青春及感情的人們來說，耗擲十年的光陰確實是很大的遺憾。但是，如果從另一個觀點來想，「蹉跎」一詞，或許可以改為「醞釀」。正因為兩人都曾經太任性，所以需要時間，讓彼此冷靜下來，各自都得到成長，回頭看待過往，修正自己的行為，告別曾有的不堪，才能在重拾幸福的時候，懂得用成熟的心態相互珍惜、溫柔對待。這十年，並沒有蹉跎，而是圓融關係所必需的過程。如果當年卡門順利接到了信件，並立刻答應和史提夫復合，他們未必能白頭偕老，搞不好是吵吵鬧鬧過了下半生呢！

時間，雖然不是經營感情絕對的要素，卻是不容忽視的條件。歲月，究竟是被兩人「蹉跎」掉了，還是正在「醞釀」中？這並不能以感情的「成敗」論英雄，也不是看有沒有結婚論定，而是彼此在這段期間裡，是否有所學習、成長。

隔了十年重逢，的確等了很久。但是相對於有些情人朝夕相處十年，卻因缺乏溝通與諒解，反而在每天生活的摩擦中變成怨偶，才是眞正的蹉跎光陰。

在時間過往的當下，我們都會爲了流逝的歲月而感傷、甚至心有未甘，而多半的原因都是：擁有時忘了好好珍惜及把握，等待時沒有自我學習及成長，才會在失去以後，空留遺憾。

我認識一對相愛得很傳奇的朋友，他們相戀五年，結婚三年之後離異；各奔東西的十年之後，重逢於東京機場，各自再婚卻又離婚，二度單身的他們，在拉麵店裡閒話家常。道別時，感謝對方曾經的付出、記取痛苦之後的美好，雙方都沒有破鏡重圓的意思，但都認爲彼此是最愛對方的人。後來，他們變成很好的朋友，帶著淡淡的曖昧，以及安全的距離，給雙方最誠摯的祝福。

女方告訴我，那段感情已經變成一杯醒了的葡萄酒，若非歲月的醞釀，不會可口。但即使變得如此可口，她也不會一飲而盡；輕輕嗅聞，反而比較浪漫。

對感情的態度，每個人都有自己的選擇。能夠不傷害對方、也不委屈自己，接受已經發生的一切，並且願意彼此祝福，就是很好的結果。

成熟，是時間留給多情人最寶貴的禮物。懂愛的人，總知道如何保有它。

可憐的感情贏家

What About Love......

愛情的喜悅與榮耀，必須雙方共享。
倘若，單方面的尊榮，成了另一方的恥辱，
最後贏得勝利的結果，
會是孤單、還是快樂？

下個星期即將舉辦婚禮及宴客了，紫彤竟哭哭啼啼地要求好友們，去勸勸準新郎倌展暉，一定要依時出席婚禮，不能當個「落跑新郎」。好友們聽了都很驚訝，怎麼看都不覺得展暉像是個性如此剛烈或懦弱的人，難不成他得了「恐婚症」？

大家平日對展暉的印象，是個性溫和，很有禮貌，也很實在，爲何會有逃婚的念頭呢？哭成淚人兒的紫彤，情緒很激動，根本說不清楚，案情於是墜入五里霧中。眼見婚期一天天逼近，紫彤的電話催得愈緊：「你們到底有沒有幫我勸他呀？」

終於有人出面，和展暉喝了一杯咖啡，才知道他的確曾向紫彤表明自己有「恐婚症」，這幾天會先寄住大學時代的好友家，以便好好想清楚，確定要不要如期舉行婚禮。

印證了展暉的情況，大家都很同情紫彤，甚至覺得她這幾年簡直就是誤上賊船了，才會碰到這種「到了緊要關頭還舉棋不定」的男人。

直到婚禮前三天，眼見大勢不妙的紫彤，終於才向好友吐實，問題不在展暉身上，而是自己太過於強勢的相處態度，幾乎搞砸了婚姻大事。他們相戀五年，處處都要聽她的，無論約會、吃飯、做什麼活動、能不能跟誰出去……

生活大小事，鉅細靡遺都要紫彤批准，展暉愈是表現風度、尊重她的意見，她就愈是得寸進尺。

紫彤還聽長輩說過，婚前就要把男方「壓落底」（閩南語，意思就是「完全壓制」），婚後丈夫才會乖乖聽話。於是，紫彤竭盡所能地在籌備婚禮期間，將她平常和展暉相處時的優勢，發揮得更加淋漓盡致，不但一手包辦了所有大小事的決策權，連展暉要發送喜帖的男方親友名單，都必須經過紫彤同意，逐一過濾掉她不喜歡的人，才肯放行。

此外，紫彤還規範了婚後相處的模式，凡事都要約法三章，例如：展暉所有的錢財都歸她管，而且不能任意跟朋友出去吃飯，連回家探望父母都需要她核准……呵，碰到這樣的女人，無論再多麼勇敢想成家的男人，都必定要有恐婚症啊！

朋友聽完紫彤的表白，終於弄懂了——其實真正恐婚的人，應該是紫彤吧！自己太過於欠缺安全感，才會逼著對方承諾過多根本不合理的規範。當壓力大到對方發現無法承擔了，挑不起的結果，選擇放下也是迫於無奈的決定呀。

在愛情的角力中，試圖以強取豪奪的手段而大獲全勝，往往都會變成可憐的贏家。儘管千方百計奪得勝利，心中卻很不快樂。

因爲，愛情的喜悅與榮耀，必須是雙方共享的。倘若，單方面的尊榮，成了另一方的恥辱，贏得勝利的結果，不但落得孤單，還會傷害彼此的關係，絕對得不償失。

聰明的戀人，總知道如何在愛情中互利共生。感情的世界，通常只有雙輸或雙贏，很難有單方面獨享的好成績。當你在愛情中覺得自己大獲全勝時，請好好想想：對方的心底隱藏著多少委屈？

讓尊重跑在了解的前面

What About Love......

誰說相愛就一定要有足夠的了解？
誰說了解彼此，就一定幸福？
相對地，誰又能說，
不了解的愛，就一定不幸福？

相知、相惜、相守，一直是愛情中美好的境界，甚至是有進階性的幸福層次。很多戀人都以此檢視，自己是否愛得夠深。

不過，關於愛的模式，有太多的約定俗成，反而忽略了個別的差異化。誰說相愛就一定要有足夠的了解？誰說了解彼此的愛，就一定幸福？相對地，誰又能說不了解的愛，就一定不幸福？

蓮兒是學藝術的，還沒畢業之前，她談戀愛的對象都是同行，從各種學派、不同風格到創意理論……有天南地北談不完的話題。那些情人對她的個性和興趣都有足夠的了解，卻往往因爲太熟悉彼此的一切，就像在跟對方的解剖圖過生活，相處時少了點想像空間、也缺了點包容範圍，常常發生爭吵，還是不能相守一生。

最近蓮兒交往的對象谷楓，則是在科學園區上班的工程師，和她從前的感情對象迥然不同。谷楓對藝術沒有太多研究，謙稱自己是門外漢，純粹只會欣賞而已。他們約會時，並不談論太多各自的專業領域，跳脫「藝術」與「科技」，其他和民生消費、娛樂八卦、音樂戲劇相關的話題，都能聊得很開心。

相處一段時間下來，蓮兒感受到從前不曾體驗的輕鬆有趣。她開始思考這個問題：誰說相戀的兩個人，一定要很了解對方呢？

每個人都有被了解的渴望；但是相對地，每個人其實也很怕全被看光光。這是人性微妙的地方。伴侶相處久了，必定會有某種程度的了解，深淺程度卻又因人而異。假使過度重視彼此了解的程度，而忽略了其他部分的經營，相處還是會有問題。

與其在「了解」這個方向著墨太多，不如把「尊重」放在「了解」的前面。因爲「尊重」遠比「了解」更爲重要。

對一個人的了解，是了解不完的，用盡一生的時間，也未必真的了解對方。但是，尊重卻是立竿見影的，只要真心尊重對方，就立刻能獲得善意的回應。

舉個比較極端的例子來說，異國戀侶對彼此的語言、文化都很陌生，喜歡上對方以後才會開始面對這些差異；即使並不了解某些行爲舉止是怎麼一回事，若是懂得尊重彼此，就會相互包容，相處時依然可以幸福愉快。

不可否認，情人之間的相互了解確實重要，卻不是最重要。心靈的溝通，並不僅僅在於了解對方究竟在想什麼、為什麼會這麼想？更重要的是，碰到對方和自己想法不一樣時，還能尊重他的看法、容許他的堅持，不會要求他妥協或改變。

你看得出愛的細膩變化嗎？

Q：請仔細觀察以下兩幅插圖。和A圖比較起來，B圖有什麼不一樣？

（答案請見下頁）

A：你答對了嗎？

1.吊燈的線條有一半變成曲線。
2.盆栽裡的愛心變成黑色。
3.女生的領帶少了一段。
4.右下方的樹木少了一叢。
5.右邊窗板的寬度變細。
6.女生後方的門板花樣不同，只有兩層線框。

若權的幸福通關密語

尚未遇見幸福的人，常埋怨自己缺乏上天的垂憐，卻忽略了一個很重要的事實：幸福，其實就在眼前。只要願意仔細去觀察、用心去體會，即使是挫折裡面，都必定藏著禮物。追求幸福的方法，並不複雜、也不艱難，只不過大多數人都犯了一樣的錯誤：不是知道的不夠多，而是只顧著膚淺地「知道」，並未徹底地「做到」。

人生的每個轉角，都有可能與幸福相遇。關鍵是：你用什麼樣的心情出發？對擦肩而過的芸芸眾生，是否都帶著一份同理的關懷，以及願意付出、成全的熱愛？如果答案是肯定的，就必定會在某份機緣裡，燃起幸福的火花。

PART 3

對面子讓步，自信才會進步！

在感情的經營中，千萬不要把「彼此的喜歡」，
建立於「對方不能討厭我」的前提上，
這其實是不夠自信的表現。當你願意相信自己、喜歡自己，
漸漸地別人就會相信你、喜歡你。

挑裡子，比選面子更重要

A大姊真不得了！才剛跟男朋友分手，
就馬上交到一個企業小開，不但多金，
人又帥氣！
latte
這年頭交男朋友，
眼睛要睜大一點。
除了心靈契合以外，
最重要的就是要能帶得
出去，越帥越好！！！

另外，一定要有相當的經濟
基礎，負擔得起兩人交往
的花費，如果能夠有房
有車，沒有貸款，那是
最好也不過了。
真的是！！！男朋友帥，
另一半要不美也難呢！
你看我們A大姊簡直
比志玲姊姊還要漂亮！
不虧是A大姊，
情場經驗豐富！！
句句名言啊！
latte
……
latte
要『帥』又要有『車』，
妳乾脆跟『象棋』交往算了！！
車

底限情人最牢靠

What About Love......

無論相愛的時間有多久、程度有多深，
最好的默契，除了知道對方的興趣和喜好，
還要明白：彼此的底限在哪兒？
以及情緒的地雷，埋在哪裡？

不知道是個性單純、還是真懂得「知足常樂」的道理，芬妮的戀愛談得很輕鬆，幾乎不太花時間、也不用費盡心力；沒有浪漫的情話綿綿、也不曾吵架驚天動地，她卻覺得很幸福。

芬妮和克翰並非「遠距離戀愛」，但朋友們幾乎很少聽說她跟男友出去約會、看電影、逛街……頂多就是去大賣場購物，而且還是一、兩個月才去一次。

好友常驚訝地問她：「這樣的感情，怎麼維持呀？」芬妮的回答始終很妙：「就是這樣，才好維持啊！」

如果換成對感情了解不夠深刻的人，可能會把芬妮的話解釋成：「減少接觸，就不會有摩擦！」這個說法顯然過度簡化了經營感情該有的深度與厚度。如果兩個人在一起所追求的幸福，只不過是減少摩擦，何不保持單身就好？

可見，戀愛時維繫感情的目的，絕不是消極地減少摩擦，而是要積極地創造幸福。

芬妮與克翰之間，之所以能在不常見面約會的情形下，彼此還能感覺幸福快樂，最重要的原則是：兩人都知道對方的底限在哪裡，並且尊重這個底限，雙方都承諾做到。

譬如：芬妮知道克翰很忙，願意給他足夠的自由，白天可以不聯絡，但晚上睡前一定要用電話互道晚安；倘若臨時有事外出跟朋友聚會，必須先知會對方。而克翰則客氣地表示，只要芬妮感到平安快樂，就是他對幸福最低的底限。

關於幸福，有時候我們不知道自己要什麼，有時候卻又要的太多。如果，每個人都能說出自己對幸福的最低要求，並且滿足於對方能兌現的那個極微小的承

諾，就能因為知足而快樂。

但是，不要忽略了對方爲你眼中那個「極微小的承諾」所付出的用心。即使是「睡前一定要用電話互道晚安」，這看似簡單的一件事，能三百六十五天都準時做到的話，也算很夠誠意了，這份對感情的毅力，也很值得珍惜。

所謂的「底限」，當然在除了可以往上加分的基礎之外，還包括絕不能往下扣分的禁忌，例如：「不能偷偷和舊情人延展餘情。」「不能刻意說謊欺騙！」「不能做出辜負感情的事！」……這些不在協議之內，卻是無須強調就該遵守的自律原則。

其他還有些是踩不得的地雷，例如：「你變得有點胖！」「你好笨！」「嘮叨！」……這些很個人化的禁忌，就必須事先溝通約定，才不會無意間逾越對方所能容忍的底限，破壞彼此的感情。維繫感情，其實可以很簡單。清楚表達自己的底限，也明白對方想要的底限，而且雙方共同尊重、遵守，就能以眼前的知足惜福，交換長遠的甜蜜幸福。

換個地方 變成萬人迷

What About Love......

感覺人生不順遂時，
難免困在原地，愈陷愈深，
此時，若嘗試換個環境，
當外在條件改變，因緣就會不同嗎？

自稱戀愛運很差的儷娟，的確悶了很多年。沒能談成戀愛這件事，在她生命裡逐漸形成惡性循環，讓她對自己愈來愈沒信心，也因爲沒信心，而更難交往到理想的情人。

每當儷娟碰到愛慕的對象時，就會有一個魔鬼的聲音浮現：「他不可能看上我這個醜小鴨；如果他會喜歡上條件這麼差的我，肯定是他的頭殼壞去。」其

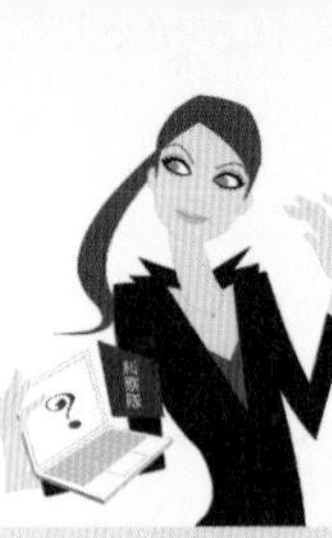

實，儷娟的條件並不差，可是這些消極負面的想法逐漸深入她的腦袋之後，她整個人看起來就很沒自信，衰運如影隨形。

這個噩夢，直到她離開故鄉，遠赴澳洲遊學，才宣告結束。原因竟是：有太多外國男人追求她。

抵達澳洲不到兩星期，想要與她共譜異國戀曲的男人，多到要拿號碼牌。連儷娟自己都覺得很意外，但是看到那麼多外型瀟灑、內涵也不錯的男人，她也眞的難以拒絕，於是放手讓自己變成了萬人迷，哪怕這只是短暫的一場夢都好。她說：「人生難得改運，享受一下囉！」

從醜小鴨變成萬人迷，儷娟什麼事也沒做，只不過是換個地方而已，這看來沒什麼道理，其中卻蘊含了豐富的學問。若把自己困在原地，不做任何改變，愈陷愈深，情況只會愈來愈惡化；換個環境之後，外在的條件改變了，自己的心境隨之調整，因緣也就完全不同。

以儷娟來說吧，她遠渡重洋到澳洲遊學，碰到的都是當地或來自其他國家的留學生，對台灣女孩充滿新奇感，難免都會投以注目的眼光。而女孩都是敏感的，只要走在路上多被幾個帥哥看幾眼，即使是麻雀都能以爲自己是鳳凰。

理想中的人格塑建，當然是應該先肯定自己，再獲得他人的讚賞；但如果情況倒過來，因為別人讚賞的眼光，而得到肯定自我的力量，即使過程脆弱了點，總比完全沒有自信還要好一些。

關於個人修爲，能夠靠心境改變環境，當然是最好的；如果暫時做不到這個層次，姑且就換個環境，讓環境來改變心境，也是可以嘗試的方法。

不過，初嚐甜頭之後，則應該借力使力，讓自信得以厚實，而不是建立在別人的眼光之上、或一味地依賴環境養成。否則，一旦追求的人離開了、環境改變了，就會被打回原形。

一個眞正有魅力的人，不會只在出國時才碰到艷遇；而短暫的異國戀曲，並不代表自己就是有魅力。就像好的產品，不會只供應內銷或仰賴外銷，而是應該適用於國際行銷，可以像iPod那樣所向披靡。

為何蒼蠅趕不走？

What About Love......

拒絕不喜歡的人追求，
若採用太強勢的作為，會傷及對方的自尊；
但如果堅定自己的立場，說出真心話，
會有什麼後果呢？

到中部的鄉下旅行，小小的傳統冰果店，生意好到老闆娘都忙不過來了。愛乾淨的她趁著端冰品、切水果的空檔，不停擦拭桌面、清理環境，口中頗有微詞地抱怨，因爲鄰居使用大量的廚餘做堆肥，害她每天都要花更多的時間打掃，否則蒼蠅會不停地飛過來，趕也趕不走！

同行的阿華，家裡也是開小吃店，很貼心地跟老闆娘分享趕走蒼蠅的種種祕訣，包括用塑膠袋裝水，放置於燈下；張開捕蠅紙，鋪在店面角落……老闆娘表示感激，但她還是主張：「自己的環境要弄乾淨，才是治本之道啦！」她的這一番話，讓我和阿華感觸很深。

我們有位共同認識的女性好友小玲，長得漂亮、氣質好，心地也很善良，卻一直沒找到如意郎君。她喜歡內斂、安靜、書生型的男人，可惜身邊總有許多不合胃口的追求者纏著她。小玲最感困擾的問題就是：「爲何蒼蠅總是趕不走？再這樣下去，即使身邊出現意中人，對方也不敢放膽追我啊！」

她的苦惱，還眞是不無道理。我們曾經要幫小玲介紹一個不錯的男生，她建議我們安排他參加另一個朋友的派對，大家一起相聚聊天，比較不尷尬。只不過觀察了一晚，那位男主角就打退堂鼓了，理由是：「想追她的人很多啊！」

後來我們發現，小玲之所以有這樣的苦惱，自己也要負一部分的責任——她總是給那些蒼蠅很多機會，不懂得有效的拒絕。她對任何男士都很有禮貌、也很客氣，若有人流露想追求她的意思，她都不置可否。

我們提醒她，當某個傢伙說要請妳看電影，如果妳眞心想婉拒，不願給對方任何可行的機會，不妨直接了當說：「對不起喔，最近好忙，都沒空耶！」而

不是擠出甜美的笑容，親切地回應：「好啊，再找時間囉！」語意上兩者的差別好像不大，但其實後者會給對方很多想像空間。

小玲爲難地表示：「這樣很傷感情吧，會令對方下不了台！」你瞧，問題來了，她怕對方下不了台，反而把自己弄得騎虎難下。蒼蠅會飛過來，絕對有個甜美的誘因；而趕不走蒼蠅的人，也必定存在明顯的弱點。這裡用蒼蠅打比方，只是爲了容易理解，絕非刻意貶損主動追求的人；但是，如果表達傾慕之意後，遭到對方委婉地拒絕，卻依然盯著不放、苦苦糾纏，就比蒼蠅更糟了。

拒絕不喜歡的人追求，固然不必採用太強勢的作為，傷及對方的自尊；但是堅定自己的立場，說出真心話，卻是不可或缺的策略。否則，對方就可能覺得還有機會，所以遲遲不肯死心。

看過很多案例，我還發覺一件有趣的事。很多人之所以無法狠下心拒絕對方的追求，並非眞要顧全對方的尊嚴，而是想維護自己在對方心中的好印象。

這個道理再簡單不過了！如果，你一直想趕走蒼蠅，但手裡拿著的不是蒼蠅拍，而是甜美多汁的西瓜，無異於對著蒼蠅呼叫：「這裡有新鮮美味的甜品喔！」用這種方法若能趕得走蒼蠅，才怪！

改變自己 為幸福加分

What About Love......

基於「愛之深；責之切」的理由，
常在盛怒之下，振振有辭地指責對方，
最後卻傷害了彼此的情感。
如何在雙方都不動氣的前提下，扭轉局面？

三年之內，婉樂談了兩次戀愛。她自嘲：「兩段感情，正好是對照組。我很慶幸自己能做出改變，讓戀愛的品質有了一百八十度的差異。」

感觸很深的她，舉出很多例子，讓朋友見識到她有了多麼大的改變。聆聽的過程中，大家本來還覺得她有點委屈自己，犧牲太多了，但是，看到她願意以正向的態度改變自己，爲這段關係帶來加倍的幸福，連這群每天在一起只會嘻嘻哈哈的朋友們，都爲之動容，願意向她看齊。

婉樂說，前男友約會遲到，哪怕只是五分鐘，她都會嘟著嘴、擺臭臉，從他的不體貼開始說起，一直到質疑他是否根本不重視這段關係。

前男友選擇默默承受，沒有回嘴，反而更容易牽動她的怒氣，讓她抓狂似地逼問：「你說呀，你給我說清楚！」

直到分手的時候，他才告訴婉樂：「妳永遠不知道那一刻我有多受傷。我又不是故意的，也不是經常遲到，看妳氣成那樣，老實說，我心裡會留下一點陰影，覺得妳不是很好溝通。」

結束那段感情後，婉樂學乖了。跟現任男友約會時，偶爾他遲到，婉樂總是笑瞇瞇地說：「我知道你不是故意的，只要人平安到了就好！」她愈是不發脾氣，現任男友就愈愧疚，一路上不停地道歉，還堅持補請豐富的大餐謝罪，玩得比當初預期的還要盡

興。

和前男友寫E-mail時，婉樂常在信中抱怨，並且指正他哪裡表現不好，還搬出「愛之深、責之切」的大道理！她沒想到，書面的文字比口頭的語言更傷人，因爲收件人會反覆地看信，而且自行加重語氣，愈讀愈不開心，漸漸把她寄來的E-mail當成垃圾郵件般，直接刪掉，原本就溝通不良的兩人更形疏離。

有了上次的教訓，聰明的婉樂改變作風，每天寄給現任男友的E-mail，內容都是感恩與鼓勵。她知道現任男友習慣清早起床時收信，所以都先讚美他、感謝他、再祝福他。

久而久之，她的濃濃愛意，就像嗎啡一樣陪伴著他，換來的是他發自內心的甜言蜜語：「我每天早上醒來，最渴望的一件事，就是打開電腦，看妳又寫了什麼鼓勵的話給我！」兩人的關係於是愈來愈如膠似漆。

歷經這些美好的體驗，婉樂學到的人生智慧是：在即將動怒而指責對方前，應該先問自己有沒有什麼地方可以改變。有時候不過是一個小小的想法，願意調整自己的觀點和態度，就能給兩人的關係帶來大大的改變。

當然，美好關係的前提必須建立在對方只是偶爾犯規，沒有惡意；否則單方面的體諒，很容易變成姑息，日積月累，等於幫助他養成惡習，對兩人來說都是負累。

拉長時間的觀點，「浪子回頭金不換」的典故，也許不常出現在眞實的人生之中；但是，只要願意承擔的這一方，有足夠的能量和耐力，時間久了，也可能因為願意先改變自己而感動對方，進而喚醒對方善意的改變。而需要認真評估的是：自己願意在這一段關係裡，花上多長的時間？多久的「磨合期」，是自己可以接受的？

一輩子！這的確是個幸福的答案。但請愼重考慮；想清楚再決定，不要輕易允諾。

超級醜女也有人愛

What About Love......

女人，總是為難女人？
或是，只有美女才會妒忌美女？
自認為條件不如林志玲的女人，
該如何活出自己的一片天？

看到美女，男人的反應大概都相當一致，就算沒有流口水的醜態畢露，至少會有些傾慕的眼神。換成是女性看到美女，根據每個女性的特質不同，反應就有很大的差異。

有的女性會以純粹欣賞的角度說：「她眞的很美！」有的女性會見賢思齊說：「希望我能跟她一樣漂亮！」而妒忌心很強的女性會酸溜溜地說：「她根本

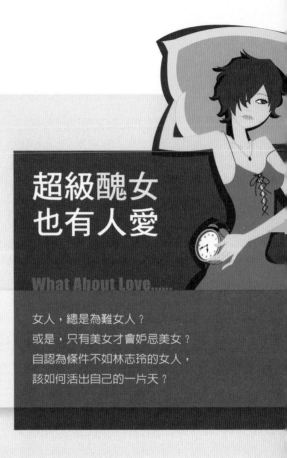

就沒什麼！」「全身都是假的！」

對美女打出不同的分數，跟評論者本身條件無關。並非美女就會妒忌美女；也不是醜女就會對美女服氣。關鍵其實在於發出評論者的態度，倘若對自己有信心，欣賞的讚嘆就會多於負面的評價。反之，自信不夠的人，若不是看什麼都不順眼，就是老覺得自己差很遠，很難真正展現審美的眼光。

妃妃常自稱「超級醜女」，但是，我覺得她超級有自信。我們常在路上看美女，她都會跟我一起發出欣賞的讚美：「哇，她眞美！」

曾經有個帥哥朋友加入我們的行列，三人異口同聲誇讚對街的美女之後，帥哥突然覺得自己失言，轉身對妃妃說：「我們這麼重色輕友，會不會傷害到妳？」然後，再以「此地無銀三百兩」的口吻修飾：「妳也很美啦！」

從來不愛搞客套的妃妃，直接了當對帥哥說：「你不用跟我客氣啦！我早已經自封爲『超級醜女』！」

其實在我眼裡，妃妃並不醜，甚至從某些角度看，她還挺美的。當然，就世俗的眼光而言，她的體重接近七十公斤，身材的確不算標準；但是，她很認眞地在執行健康減重計畫，體型也漸漸在改變之中。

經過幾個月近身觀察，我眞的認爲妃妃超級有自信，這也是她應得的榮耀。因爲，妃妃的自信並不只是表現於她對美女的欣賞，同時也流露於她對追求者的肯定。

不久前，透過網路交友機制，妃妃有了追求者。對方條件不錯，態度眞誠、很有禮貌、相貌堂堂，踏踏實實地工作，對未來也很有自己的想法。

剛開始的時候，妃妃對他這麼用心展開追求感到驚訝，兩人正式交往後，她則十分感動於對方的眼光，很有自信地跟他說：「我知道你人很好、條件也很棒……」對方嚇了一跳，以爲她要發好人卡，妃妃促狹地接著說：「但是，更棒的是你懂得欣賞我！」他才鬆了一口氣。

美醜之間，的確見仁見智；別人的評論，本來就不是我們自己可以掌握。但

相信自己、喜歡自己，卻是靠自己就做得到。當你願意相信自己、喜歡自己，漸漸地別人就會相信你、喜歡你。

同樣的道理，當你看什麼都不順眼，每天早上醒來，沒有一件事可以讓你喜悅、充滿感激，並非這個世界真的跟你過不去，而是你的自信出了問題。

不可或缺的幸福感

What About Love.....

每個人要追求幸福，
也都會祝福別人：「要幸福喔！」
然而，所謂的「幸福感」，
最基本的要件究竟是什麼呢？

近年來，「幸福」兩字被使用得非常廣泛，無論是「書名」、「歌名」、「舞台劇」、「偶像劇對白」、乃至於「日常問候語」……「要幸福喔！」幾乎成了國民語言，是每個人都想聽見、也希望自己能隨時擁有的祝福。

十年前，當這句話還不是那麼普遍時，我曾出版一本散文集，以《抓住你要的幸福》爲書名，狂賣了十幾萬冊。接下來，出版市場如雨後春筍般，出現無以數計在書名中嵌入「幸福」的作品，連幫我出書的出版公司都說：「『幸福』已經用得太氾濫，以後請不要再用這兩個字作爲書名的一部分了。」

對於這個現象，我當然心有同感。但是，即使「幸福」已經被用得這麼廣泛了，究竟什麼叫做「幸福」呢？恐怕還是很難具體說明清楚。

生活富裕的女性朋友筱晴，經濟情況好到不行，錦衣玉食、珠光寶氣，但是她覺得自己並不幸福。筱晴常掛在嘴邊的說法是：「我賺的都是辛苦錢，投資的風險也很高！」講到這裡我依然覺得她滿幸福，直到她說每天晚上都失眠到兩、三點還無法入睡，我才相信她的確不是很幸福。

不幸福？以筱晴來說，我評估的重點不是在於她的財富多寡，而是她對現狀滿足的程度。所謂的「幸福感」，最基本的要件，不在於當下擁有多少、擁有什麼，而是無論擁有多少、擁有什麼，都覺得滿足。

喜歡自己目前的樣子、滿意自己努力的結果，就是最基本的幸福。即使目前的處境很拮据，未來還有很多進步的空間，也不會嫌棄自己現在的不足。

反觀，已經擁有很多財富和成就，卻未能惜福感恩，總是覺得自己付出比得到的多，而且很擔心前功盡棄，日夜生活在不知名的恐懼中，這種感覺的確不

幸福，還會因爲擁有愈多、擔心愈多，而愈不幸福。

不僅對自己的態度如此，看待別人的標準也是一樣。如果自己對物質可以容許很簡樸，卻對別人的心靈要求很豐富，同樣會感到不幸福。

夙玲是個清心寡欲的女性，她總能分辨「需要」和「想要」的差別，對物質的欲望很低；她不但有爲數不少的存款，還經常捐錢幫助弱勢家庭的小孩。照理說這樣的女性應該很幸福了，卻不盡然是如此。

她對自己擁有物質的欲望確實很低，但是對伴侶的心靈要求卻很高。她常認爲男友對她不夠體貼，加上他不愛閱讀，只愛打球，兩人無法如她想像那般促膝談心，讓她因而倍感失落。朋友都認爲，她實在想太多，男友很愛她、也很老實，既沒欠卡債、也沒劈腿，算是個很好的對象了，不明白她爲何還要求這麼多，豈不是自尋煩惱？

經過朋友的勸說，夙玲才慢慢懂得：幸福感的來源，不只是對自己生活的知足感恩，也包括：與別人相處時的寬容敦厚，讓彼此的關係處於不貪求、不恐懼的狀態，才能真正安頓身心、幸福長久。

10,000,000

讓喜歡的人討厭又何妨

What About Love......

委屈求全的愛情，很難長久持續；
心甘情願的忍耐，很快就會到達極限。
很想在愛人面前，表現最自然真實的一面，
卻又擔心被對方厭倦，該怎麼辦呢？

在喜歡的人面前，我們總會覺得維持形象很重要，尤其是剛開始交往的階段，會特別提醒自己盡量表現完美，不要在對方面前露出馬腳，以免被扣分。

但是，偽裝太久、表現太假，自己會很累；而且，兩人若要長久在一起，愈早以真實的面貌相處，愈能觀察彼此到底適不適合。「表現自然」遠比「追求完美」，更能向幸福靠近。

有沒有想過，如果他眞的愛你，即使是偶爾被他看見你挖個鼻孔、摳個頭皮，實在沒有什麼大不了，要是對方連這種小事都要計較，還不如早點分開的好。因爲，日常生活的細節，只要沒有違背做人基本的道德或倫理，都不應該被放大檢視爲不能付出幸福的障礙。

很多情侶在熱戀期過度小心翼翼，一些根本無傷大雅的事，這個不敢說、那個不敢做，連看很悶的電影看到一半想打瞌睡，都不敢闔上眼，猛捏自己大腿，就怕洩露自己不完美的一面，被對方嫌棄。

處理這些小事的態度如此，碰到跟感情有關的大事就更不敢表態。忍到最後，自己得了嚴重內傷，愛情還沒有病入膏肓，自己的心就先陣亡了，實在很不値得。

敏鳳和政研交往沒多久，就發現他很愛撒小謊，即使她掌握到很多證據，都只是敢怒不敢言。

她堅持的理論是：「兩人若要長久在一起，就該睜一隻眼、閉一隻眼。」老實說，這個態度不能算是錯的；但是，以政研的犯行來看，她應該算是兩眼都閉上了，所以無形中也助長了政研心裡的魔鬼，讓他瞞天過海的行徑愈形囂張。

雖然政研撒謊的目的，並非為了偷腥劈腿之類，而是要圖個小方便，能夠獲取自由的空間，在毋需報備之下，跟沒有感情關係的學妹、或已經分手的前女友喝杯咖啡。但是，敏鳳還是很介意，氣在心底不肯說，政研卻因而真的以為她不知情，繼續逍遙過日子。

委屈求全的愛情，很難長久持續；心甘情願的忍耐，很快就會到達極限，變成心「乾」情「怨」。當敏鳳發覺自己連日常溝通都提不起勁，感情也走到了無法挽回的絕境。

她覺得很可惜，畢竟政研並不是大奸大惡的壞蛋，充其量只是貪玩而

已，卻因爲彼此長期溝通不良，積怨已深而無法再相處下去。而政研知道原因之後，坦然認錯，也感到萬分遺憾。如果，敏鳳當初早點提出警告，兩人的關係或許不致決裂到無法修補的程度。

戀愛時，經常遇上情緒與行爲不能一致的瓶頸。明明很懷疑，卻不敢說出來，怕對方討厭「疑神疑鬼」的態度，於是假裝信賴，以維持表面上的和諧；明明難過得要死，卻強顏歡笑，怕對方討厭「神經質」的反應，還感謝對方所做的一切，就怕貿然吵架之後，感情可能破裂。但是，過度隱忍的結果，並不能眞正幫助這段感情維持久一點。

在感情的經營中，千萬不要把「彼此的喜歡」建立於「對方不能討厭我」的前提上，因為這其實是不夠自信的表現。與其一再隱忍，不如偶爾大膽表現對方可能會討厭的行爲，看看他的反應如何？

當對方能夠接受你某些確實令人討厭的地方，兩人才有可能相處一輩子。如果他連你的這一點點討厭都不能接受、完全不肯包容，從這裡就應該可以看出，他不是很愛你吧。

用占卜決定感情去留

What About Love……

徘徊在人生十字路口時，
理性的思考、感性的直覺，
常常交錯出現在猶豫的心底，
哪個才是做決策時最重要的關鍵因素？

在我主持的現場廣播節目中，有個塔羅牌占卜的單元，每星期登場一次，聽眾打進來要求占卜的電話，都會塞爆Call in專線。其中有男有女，有人關心工作、有人問愛情、有人擔心孩子考試的成績、有人買賣房子出問題……林林總總，都是人生的縮影。

別誤以爲這些六神無主的市井小民，都是學歷不高、見識不廣，碰到問題才要用占卜的方式替自己做決定，其實他們大部分都是社會的中產階級，也是一般的上班族或青年學生。但是，每個人的一生，總有時候會走到難以抉擇的路口，該向左、或向右，當心中評估的機率正好都是五五波，選擇的意願各佔一半，眼看著必須做出決定的時間逼近，藉助占卜幫自己做選擇，也是個不錯的參考。

在我的人生經驗中，並不覺得占卜等同於怪力亂神。甚至，我認爲占卜還滿科學。占卜，是一段和自己內心對話的過程。專注於占卜的過程，尤其在結果揭曉的剎那，你會很明白自己究竟在擔心什麼、或想些什麼。你不必完全遵照占卜的結果去做，但你反而會因爲背道而馳的決定，在不肯順服於命運安排的種種嘗試中，更清楚知道自己眞正要的是什麼。

有位女性聽眾私下與我分享，她曾在電台的現場節目Call in問道：「該不該跟劈腿的男友復合？」其實她心裡並沒有非常想答應，但因爲男友積極爭取復合的機會，使她有點猶豫不決。而那次占卜給她的提示是：不要馬上做決定，過一段時間再說。果然，兩個星期之後，男友就放棄了。

她不肯順從命運，想試探男友的反應，於是刻意採取積極的行動，看看男友是否想再續前緣，這時男友才招認，他又有了新的對象。此刻，鬆了一口氣的

她，恍然明白：自己從未眞心想跟他復合。

有時候，我們面對的選項，並沒有絕對的好壞之分。因爲，人生中的大部分決定其實都是好壞參半的。例如：「高薪但需要天天加班的工作」和「薪水不高但可以天天回家吃晚飯的職務」；又如：「很帥卻帶著桃花的男人」和「老實但很不風趣的男人」……

決定任何一個選項都是有得有失，端看你要的是什麼。如果你始終無法判斷自己眞正要的選項是哪一個，何妨就用占卜提供自己一個答案，然後認眞去走走看、做做看。

無論你最後選擇的是什麼？在真實的人生經歷裡，總是有得有失，終於，你會在收穫中知道自己失去什麼，在失去中明白自己手中的擁有。

更玄妙的是，人生的路，常常是殊途同歸。通過了眼前的困惑，確定了原先難以抉擇的事，往前走去，分岔的兩條路也許在前面又會合了。

占卜，提供了一個幫助你做決定的機緣；但是，人生真正的成敗，其實是認真地向前走。

做出抉擇，看似很重要；更重要的卻是，接受抉擇，好好生活。

戀愛力大考驗　訓練愛情集中力

你對戀人的用心專不專注？

Q：麥可與茱蒂交往週年紀念日當天，兩人一起到海邊談心。麥可忽然從後車廂拿出一束預先準備的玫瑰花，讓茱蒂大為感動。後來，茱蒂靈機一動，抽起一根一根的玫瑰花，在海灘上擺起九宮格數字來。「我也有禮物要送給你，不過你要先回答我的問題，答對了我才把禮物拿出來。」
「在這個數字九宮格裡，你有沒有辦法在只移動一朵玫瑰花的情況下，讓格子裡的每個橫排數字和每個直排數字的總和都相同呢？」
麥可看了看九宮格，很快就解開了問題，順利拿到週年紀念禮物，還得到茱蒂的一個吻。
你也來動動腦，看看自己是不是和麥可一樣聰明？

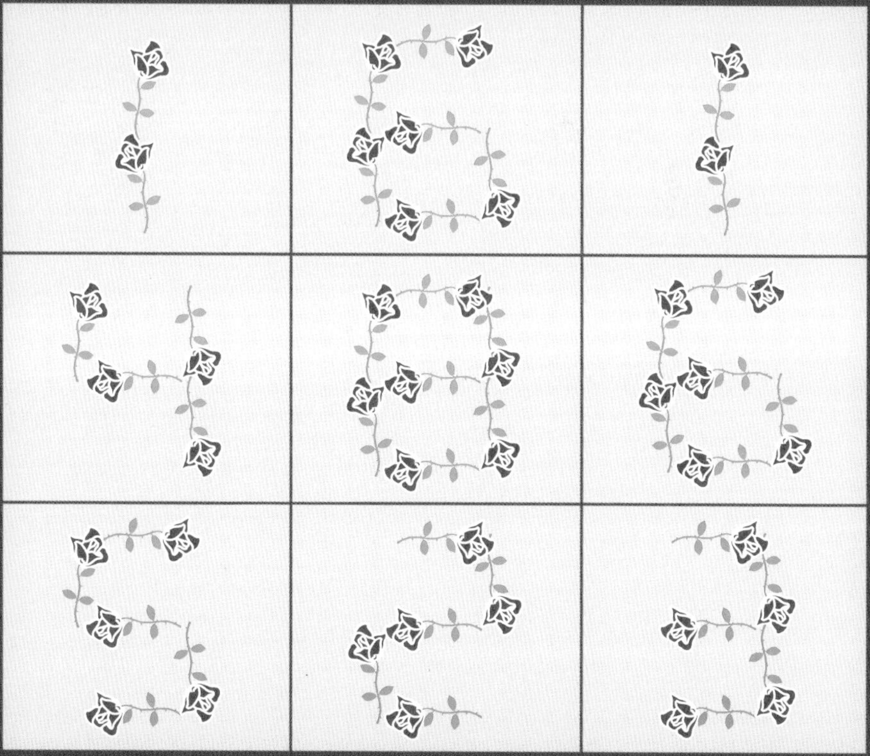

（答案請見下頁）

A：你答對了嗎？

把九宮格中央數字「8」中間的那一枝玫瑰花拿起來，讓這個數字變成「0」。把玫瑰花改放在第一排中間數字「6」的缺口處，讓這個數字變成8。

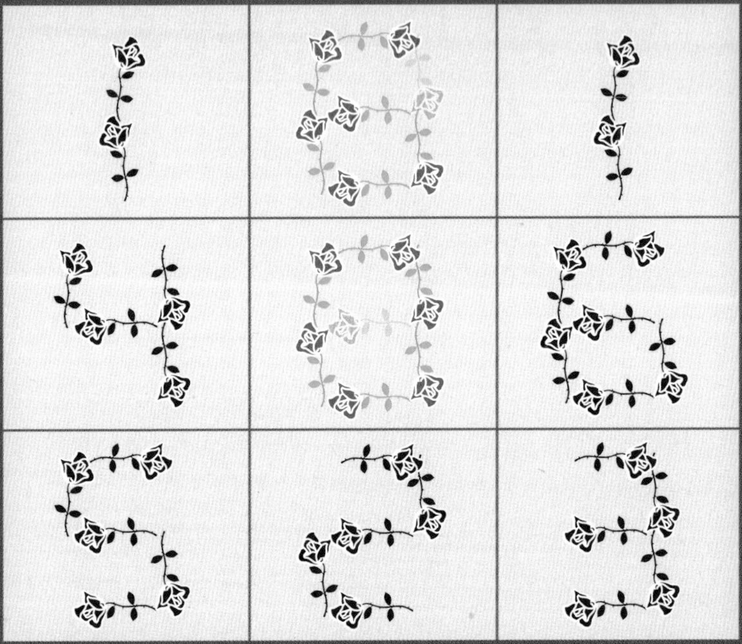

若權的幸福通關密語

玫瑰，是浪漫的象徵。然而，品質良好的愛情，不能只有浪漫，而缺乏理性；當然，也不能只有理性，而不夠浪漫。很多人都嚮往理性與浪漫兼具的感情生活，卻有更多人認為「魚與熊掌，不可兼得！」的原因，是關乎戀人本身的個性問題。其實，同時擁有理性與浪漫，就像左腦與右腦的平衡感一樣，可以透過練習而獲得。

只要你願意把愛情當回事，集中心思去留意對方的想法，就能體貼對方的需求，讓對方感受到你的溫柔與浪漫。感情的付出，最怕「一廂情願」或「自以為是」，愈努力愈痛苦、愈認真愈疲倦，必須跨越這兩個迷障，才能讓彼此都感到幸福。

■ PART 4

對情緒讓步，情感才會進步！

相處上出了問題，彼此都應該檢討反省，
不要受了委屈，就立刻想還以顏色。
想獲得幸福，必須學會用對方法相處；
想要雙方都過得快樂，請先找到善待自己的方式。

哎喲！看你這張臉，又跟女友大戰一場囉？
是這樣喔？
哼！雖然我稍有失手，其實我們互有中傷啦！

最後她可是四肢著地，
跪著向我爬過來咧！
重要的是我輸了面子，
但贏了裡子！！
真的嗎？
她求你原諒她喔？
你真不愧是個大男人！
她是趴著對我說：『快從床底下滾出來！
你這沒有用的男人！』
……

太隨便
反而不方便

What About Love......

「隨便」並不等於「隨和」；
「主見」也不等於「主觀」！
如何把握分寸，才能「隨和」、有「主見」，
而不會流於「隨便」和「主觀」？

在台灣當過兵的男人，大概都聽過新兵訓練中心班長習慣用來罵人的話：「給你方便，你當隨便！」意思就是指：在部隊中，有些士兵不知節制、沒有紀律，長官稍微放鬆管理的尺度，下屬就亂成一團。

的確，我們不能把別人給的「方便」當成「隨便」。只要懂得自重自愛、惜福感恩，「方便」就不會變成「隨便」。但是，若把「方便」和「隨便」這兩

個詞彙倒過來思考，可以得到另一個詮釋的方式，而且屢試不爽——「隨便」反而不「方便」。

冬晴是個生性害羞的女孩，她到婚友聯誼社報名，希望能找到值得交往的對象，卻在塡表格的時候，就碰到大麻煩！婚友聯誼社的主管詢問冬晴：「妳喜歡哪一種類型的男人？」她不經思索就回答：「隨便！」當場這位主管就立刻知道，條件不差的她爲什麼遲遲交不到男朋友。

「害羞的個性」確實是個阻礙，但是「不知道自己眞正要的是什麼」、或「明知道自己要的是什麼，卻表達不出來」，會是更大的麻煩。

如果要克服害羞的問題，只要多參加活動，積極熟悉環境及相處對象，就能慢慢把自己緊閉的心門打開。但若是「不知道自己眞正要的是什麼」、或「明知道自己要的是什麼，卻表達不出來」，就需要更多時間去磨練了。

要求別人介紹對象，自己卻對所謂的「理想擇友條件」，只是抱持「隨便」的態度，就會讓居中穿針引線的媒人、以及被介紹的對象，都覺得很不方便。媒人像在大海裡撈針，很難有效命中合意的人選；而被介紹的對象則會覺得自己只是感情試驗品，並不是雀屏獲選的意中人。

這就像你好心好意招待朋友吃飯，到了高級餐廳遞上菜單，你滿懷熱忱地問客人：「想吃點什麼？」客人連看都不看菜單一眼，直接回答：「隨便！」此刻的你，必定傻眼。所幸，這時候主人還可以提出第二個問題：「你至少要告訴我，你不想吃什麼、或不能吃什麼？」就算無法招待完全符合客人期望的美食，至少不會失禮地點到對方完全不肯碰的菜餚。

習慣回答「隨便」的人，未必眞不知道自己要的是什麼、也並非眞的不會表達。有一種常見的問題是：「客氣！」他總以爲不堅持自己要什麼，比較不會讓對方爲難。

其實，這是很錯誤的觀念。「隨便」並不等於「隨和」；「主見」也不等於「主觀」！

比較好的溝通態度是：「隨和」而不「隨便」；有「主見」而不「主觀」。主動提出具體的想法，但並不堅持己見，還是願意聽聽對方的意見，雙方商議之後再做決定。這樣省時又有效率，不用費勁去猜測、也不必擔心失禮。

天下最難纏的人就是另一種極端：很「隨便」卻不「隨和」；沒「主見」卻很「主觀」！

我有一個損友，就是這種典型。他搭上計程車，沒有事先指定行駛路線，等到發現偏離他預定的路線，才生氣地對司機先生說：「你怎麼沒問我，就這樣亂走！」七嘴八舌之後，司機先生向他解釋：「您剛剛說的另一個路段，這個月因爲整修高架橋，路都封了呢！」你瞧，這不是很糗嗎？

可見，溝通的王道果眞是：「隨和」而不「隨便」；有「主見」而不「主觀」！若不遵循這個法則，自己不舒服、別人也痛苦。的確，有事好商量！但是，別忘了，表明立場，保持彈性，眞的很重要！

最要不得的補償心理

What About Love.....

如果，付出時的起心動念，
並非出於自願、歡喜，
而是為了彌補過去有些不夠周到的地方，
對方接收到之後，會有什麼感想？

忙著整理行囊，準備去峇里島度假，舒芸卻一點都開心不起來。有了上次去普吉島的經驗，她很能夠想像，這趟旅行大概會是怎樣。健宇肯定又是懶洋洋地躺在游泳池畔的涼椅上睡覺；怕曬太陽的她，只好把全身裹得密不通風，窮極無聊地逛著已經不知道繞過多少圈的藝品店……

很顯然地，這不是舒芸主動要的旅行，而是健宇自己說要「補償」她的安排。因爲過去一年來，他把所有的心力都投注於工作，每天加班到深夜，連假日都耗在公司。

舒芸曾經對他抱怨，自己好像在跟空氣談戀愛，健宇當然覺得自己虧待了她，但他不是故意要這樣啊，他也有一肚子的苦衷。每回舒芸不開心、鬧一鬧，他就說：「等專案結束，我會好好補償妳。」

她並不領情，還放話恐嚇：「不用等你專案結束，搞不好我們的愛情就先終止。」講歸講、怨歸怨，舒芸還是離不開他，畢竟兩人在一起四年多了，感情不是說放就能放。

有一天，健宇突然給了她驚喜——對舒芸來說，其實是驚嚇。「下星期請幾天假吧，我訂好峇里島渡假村自由行，四天三夜，帶妳出去玩！」毫無心理準備的她，實在不知道如何開口向主管請假，更何況她這次比較想去名古屋泡湯，而不是到熱帶小島曬太陽。

回想起來，上次他們去普吉島，情況也很相似。當時健宇爲了準備碩士論文，沒日沒夜地寫報告，完全把她冷落在一邊。等到論文口試通過，他根本沒跟她商量，就上網刷卡訂了「機票＋酒店」的行程。本來她還抱著浪漫的幻想，以

爲兩人會在藍天碧海的沙灘上漫步，沒想到平常神經繃太緊的健宇，放假時只想呼呼大睡幾天，根本不想走動。

舒芸負氣獨自去玩水上活動，無意間把皮膚曬傷，痛了好幾星期才痊癒。此後，她就很怕去小島度假，誰知道他又故技重施。

朋友們都勸舒芸，「別那麼愛挑剔，他願意補償妳，已經算是很有良心的了！」

其實，在感情的對待中，最要不得的就是提供補償的心理。如果，付出時的起心動念，並非出於自願、歡喜，而是為了彌補過去有些不夠周到的地方，施與受的雙方，多少都會有點心理負擔。

別忽視這小小的負面情緒，所可能發揮大大的威力，即使是計畫去做愉快的事，也很容易把彼此推向不愉快的兩端。

照健宇的做法看來，多少就有點這樣的問題。忙碌的他，基於愧疚的心理想提供對方補償，難免就會站在自己的立場處理事情，而未曾顧及對方真正的需要。他的腦袋被「能夠出去玩，已經很好了！」的念頭塞滿，卻忘了問舒芸的意見，即使做得再多、再好，都會給對方「你只是在應付」的感覺，吃力反而不討好。

有一則故事流傳已久：老王的太太展示身上穿的貂皮大衣，說是老公偷腥被逮，買給她當作贖罪的禮物，朋友讚嘆的同時，老王的太太則苦笑說：「衣櫥裡還有好幾件呢。」送的人不甘心，收的人也不開心，這又是何苦來哉？

很多父母對子女也存著這樣的補償心理，舉凡自己過去沒有的、或對孩子有虧欠的，就想要補償，逼子女練鋼琴、給小孩買玩具，都是自己覺得好就好，沒認真想過這樣做對孩子的好，究竟在哪裡？到頭來只會搞得雙方關係更緊張。

對別人付出之前，還是先清除自己內心的愧疚感吧！讓彼此都沒有負擔，才能讓施與受的雙方，都可以自在歡喜地分享。

別讓感情住套房

What About Love......

情到濃時轉為薄，
是感情發展的必然趨勢嗎？
熱戀急速降溫而不自知的情況，
是可以避免的嗎？

股市起起落落，投資人稍有不慎，又不肯認賠了結，就很容易被狂跌不休的股價套住，俗稱「住進套房」。感情發展的高高低低，同樣熱得容易、也冷得快，雙方若不妥善經營，也很容易住進感情的套房。

若要仔細分辨，「投資股市」和「經營感情」，還是有很大的不同。

對「投資股市」而言，外在不可預測的環境變數較複雜，難以預料；「經營感情」的大部分因素，還是操控在相愛的兩人手中，只要彼此都有「別讓感情住套房」的危機意識，盡一切努力，去避免讓熱戀急速降溫而不自知的情況發生，就能讓幸福的溫度維持高一點、相處的空間更寬闊一些。

首先，最必須提防的是：冷戰！當彼此有誤會在心中擱置太久，誰都不肯低頭或妥協，相處的溫度如同被急速冷凍的美食，冰涼僵硬，色香味盡失，很難入口。雙方因爲冷戰而住進的「套房」，既冰凍又窄小，感情很快就會被凍傷。

相愛的兩個人，應該遠離冷戰的套房，保持良好的溝通習慣，盡量不要做些「瓜田李下」的事，讓對方不放心或產生誤會。一旦發現對方起疑，則要主動解釋清楚，並尋求諒解，就能避免感情被凍傷。

其次，股市禿鷹經常利用謠言放出負面消息，導致投資人對企業股價喪失信心，甚至讓公司信譽瀕臨破產邊緣，禿鷹集團卻早以「放空」策略，將股票暴跌的價差轉成他口袋中的利潤。

愛情的世界裡，也有這種「見不得別人好」的有心人士，常說些有的、沒的，例如：「你們命格不合啦！」「聽別人說，他好像很花心耶！」「他該不會是看上你的錢吧！」讓原本相戀的兩個人，信心遭受嚴重打擊。也許，還不到分

手的地步，卻阻礙了當初擁有寬闊視野的幸福，從此侷限在感情的小套房裡。

最後，當發現幸福逐漸遠離時，懂得主動認賠了結，也是避免感情住進套房的非常手段。感情走到「家徒四壁」的地步，還有什麼可以留戀之處呢？不如自己主動搬出去吧！何苦讓自己和一個已經沒有感情的人，長期留在擁擠的套房裡，瞪著窄小的天花板，過著相濡以沫的生活？

鼓勵自己，試著走出去，即使形單影隻，都還是有機會，找到另一片幸福的天空。

照顧 不等於看管

What About Love......

很期待被照顧的心理需求，
代表內心缺乏足夠的安全感。
欠缺獨立性的人格，
在戀愛時會產生哪些問題？

在考量交友條件時，「很會照顧別人」通常是可以加分的強項。但是，每個人對「照顧」的定義，顯然很不相同。若沒有拿捏好「照顧」的分寸，很可能變成「看管」，原本會是幸福的感覺，卻帶給雙方很大的壓力。

勤元的年紀比艾玲大了七歲，在兩人剛開始交往的階段，艾玲還滿享受被「大男人」照顧的感覺，包括：日常噓寒問暖的簡訊、約會都有專車接送、懶得自己動手的繁瑣事務終於有人代勞……

可是相處久了，勤元關心的廣度和深度無形中增加許多，他對艾玲的「照顧」，漸漸變成了「看管」。起初兩人都不自覺，直到幸福轉化爲壓力，彼此之間的衝突愈來愈大、摩擦愈來愈多，感情就變質了，吵架時，雙方還會出現「我對你這麼好，你怎麼可以這樣！」的控訴呢。

最明顯的例子是，艾玲參加同學會聚餐，說好大約九點結束，勤元可以去接她，體貼的勤元，還刻意提早十分鐘到餐廳附近。誰知道當天傍晚交通很混亂，同學們姍姍來遲，接近八點才正式開席，艾玲無法在九點準時脫身，雖然用手機聯絡很多次，自動提早來等候的勤元，還是發了頓牢騷。

內心很生氣、但不想發作的艾玲，仔細想想兩人交往以來，表

面上勤元雖然很照顧她，卻幾乎和「看管」她沒有兩樣，他關心的重點都是：「什麼時候回家？」「手機要講短一點，費用很高！」「可能會下雨，要記得帶傘！」艾玲對這些關心的感覺卻是：婆婆媽媽、嘮嘮叨叨。反而是她提供給勤元的照顧比較具體實惠，例如：做三明治給他當早餐、幫他燙襯衫、還會替他換燈泡！

談到情人之間的照顧，艾玲深深覺得兩人的性別角色好像錯亂了。其實並沒有，這種情況很正常！男女在熱戀期過後，就常常是這樣。

女人最初所期待的被照顧，是男人給她心理上的安全感，但男人常常因爲付出後習以爲常，就忘了：自己該有的強壯只需表現在對方心上，而不該延伸到行動的控管。

而女人提供給男人的照顧，敗筆則發生在傳統女性角色的刻板印象。女人以爲照顧男人，就是要當他的媽媽，無條件爲他做牛做馬，反而讓擁有帝王般享受的男人不懂珍惜，把女伴當成不需支付酬勞的高級女傭。

兩性要能相處愉快，「照顧」與「被照顧」之間的分寸掌握，必須遵循以下原則，才不會出錯：

- 彼此輪流扮演「照顧」與「被照顧」的角色，不是單方面一味地付出。
- 付出的時候，要保持自己和對方的尊嚴，平等互惠，不能屈居下風。
- 留意自己的熱心付出，是否給對方帶來行動不自由的壓力，否則「照顧」很容易變成「看管」，雙方的感情就會變質。

除此之外，觀察兩人相處時說出否定型命令句的次數，也可以避免任何一方用「照顧」掩飾「看管」。例如：「你不可以太晚回來！」「你不可以跟那些狐群狗黨出去鬼混！」「你不可以騎車淋雨！」以上說法也許都是出於「照顧」的好意，但聽起來都很像是：「你不可以不聽我的話！」容易給對方帶來壓力，扭曲了想照顧對方的好意。

戀人之間真正的照顧，其實是成全對方想做的事、幫助對方完成心願。與其在對方面前替他做牛做馬，不如站在他背後支持他，給他前進的力量。

恐嚇式的關心

What About Love.....

付出關心，多半都是出於善意，
但是每個人用的方法，未必正確。
在關心別人時，使用「恐嚇式」的語氣，
會有什麼負面效果？

對於我們內心所愛的人付出關心，是很天經地義的事。但是，因爲付出關心的方式不同，彼此關係的發展也會有很大的差異。有時候，兩人之間的情份，會演變至「我這麼關心你，你卻不領情！」，通常問題都是在於：付出關心的方式，不是對方所能接受的。

最經典的模式，就是恐嚇式的關心，彷彿是爲了逼對方乖乖就範，故意把後果講得很嚴重，這樣招致的反效果最大。

我常在公共場所觀察年輕人的對談，當一群朋友聊到某些比較令人驚訝、或誇張的話題時，爲了表示自己的鎮定，「我又不是被嚇大的！」這句話，就常被脫口而出。

但是，仔細想想啊，我們大多數人，其實都是被嚇大的。小時候，若不肯聽大人的話，就會聽到：「虎姑婆半夜會來把你咬走喔！」「門口有隻大野狼，你一開門就會被吃掉！」「你再說謊，鼻子就會變長！」……以上的每一句話，都是用來嚇唬小孩，讓他願意照著大人的關心，去表現預期中的行爲。

等到孩子再大一點，童話故事不再有威嚇的效果，代之而起的是用更嚴重的後果，來表達大人的關心。例如：「再不用功，就考不上學校，將來找不到工作，只好去當乞丐！」「這麼年輕就談戀愛，萬一搞到生小孩，你的人生就完蛋了。」……

用恐嚇表達關心，正向的效果很有限，負面的效果卻顯而易見。講話的人語氣愈來愈激昂，聽的人卻愈聽愈懶散，彼此的關係變得更加疏離。

然後，孩子長大成人，他們已經習慣了用同樣的恐嚇方式，來表達自己的

關心。

情人之間，也會出現類似這樣的溝通：「我的人生不能沒有你；失去你，我就死定了。」「如果有一天你離開我，我必然活不下去。」「你不帶傘喔？萬一你感冒生病，我怎麼辦？」「你敢劈腿的話，絕對會遭到天打雷劈。」……講出這些話的人，絕對是振振有辭、慷慨激昂，問題是：聽的人會有幸福的感受嗎？會覺得自己的存在眞的很重要嗎？

理性想想，答案是否定的、不會的。但是，講出這些話的時候，我們是多麼眞心，多麼期望對方能感動啊！

在戀愛範疇以外，我也常常聽見類似的恐嚇式關心。陪同一位女性朋友逛街，經過化妝品專櫃，碰到她很熟悉的美容師，見面第一句問候語竟是：「妳怎麼這麼久沒來找我，瞧妳臉上乾巴巴的，皮膚惡化成這樣……這塊黑斑再不處理，會變成皮膚癌……」

另一位男性朋友因爲腰酸背痛，經同事介紹去找整脊師傅推拿，按摩不到三分鐘，師傅就告訴他：「幸好你有來找我，你的脊椎側彎很嚴重，已經開始長骨刺了……」

我的這兩位朋友都是聰明人，因爲他們從小就被嚇大了，所以很明白該如何分辨「恐嚇」與「關心」的差異。他們謝謝對方的關心之後，立刻換了不同的專家處理，只因爲不想被恐嚇控制、被關心矇蔽。

看了這些實例，我發現：

有些人之所以會用「恐嚇」的方式表達「關心」，除了是從小受到不當方式的對待，而養成不良的溝通習慣，還有另一個很重要的原因，是對自己不夠有信心，把這樣的舉措當成是無計可施下的最後一搏，抱著「嚇嚇你，看你會不會聽話？」的一線希望，卻沒想到反讓彼此的關係，在驚慌中逃竄而疏遠。

對內心在意的人表達關心，請盡量用「祝福」的方式，而不要用「恐嚇」的方式。與其說：「別太晚回家，外面治安很差、壞人很多！出了事，你自己負責。」不如說：「早點回家，我好想早點見到你，睡前能夠跟你說說話。」前者，只會招來怨懟；後者，可以帶來溫馨。

博取同情 卻更傷感情

What About Love......

如果在愛情的對待中，自己都覺得理虧，
卻還想用盡心機，博取別人的同情，
到頭來除了傷害彼此的感情，
還會有什麼嚴重的損失？

碰到感情不順利時，難免會因爲心情不好而想要紓解壓力。這時候，可以藉由閱讀、聽音樂、運動……而讓心情好轉。但是，通常談戀愛的人在感情不順時，連智商都會降低，偏偏會在這段低潮期，做出傷害自己也傷害感情的事。

例如：回去找前任情人，劈腿和陌生人發生一夜情，或找雙方都認識的朋友訴苦……做這些蠢事的動機，都可以歸納於「報復」。但用錯誤的方法宣洩負面情緒，就像擲出去的回力鏢，很快就會旋轉回來，再度擊中自己。

和男友大吵一架的米雪，負氣從對方的摩托車跳下來，快速折進小巷弄，讓心急如焚的他找不到。然後，她撥電話給前男友，未語淚先流。跟電視劇演的內容很像，前男友遲疑了一下，聽見她飲泣的聲音，立刻編了理由，拋開懷抱中的新女友，開車來接她。

上車後，她不斷地哭訴現任男友多麼差勁，等於間接證明前男友還是比較好。很可惜的是，當初是米雪甩了他，如今有什麼理由要對方同情，再多懊悔只是證明自己眼光差。

米雪不放過機會，想要試試前男友的反應，她沒料到對方只是一時心軟和出於風度，才來送她回家，頂多背著現任女友偷吃，完全沒有要復合的意思。

簡單交談之後，雙方有了默契，還是到此爲止。米雪心底浮上一種被羞辱的感覺，但她很清楚這是自取其辱。

如果在愛情的對待中，自己都覺得理虧，卻還想用盡心機博取別人的同情，到頭來都只會損及自己的尊嚴，也傷害彼此的感情。

這是天經地義的道理，問題是：犯錯的人常常都覺得自己沒錯，把所有的責

任推給對方，才會自取其辱而不自覺。

累積婚姻中很多不滿，杏瑤提出離婚後，益達迫於無奈，也只有答應了。離婚後，心有不甘的杏瑤，逐一打電話給益達的好友，從高中同學到大學死黨都沒放過，向他們哭訴自己的委屈。

但她很顯然沒安什麼好心，不但誇大很多事情，還無中生有，連益達疑似罹患性病、閨房中常不舉……這種很私密、但並非事實的細節，都繪聲繪影地講得跟眞的一樣。

事後，這卻對杏瑤造成很不利的影響。接到電話的同學朋友，根本不相信她所說的話，都認爲她若不是精神狀況有問題，就是惡意攻擊。消息傳到益達耳朵裡，也把兩人之間僅存的情份都消耗光了，關係更進一步惡化，從形同陌路變成勢不兩立。對杏瑤來說，報復的快感很快成爲過去，悔恨倒是長留心底。

成熟的人都知道，感情的事沒有絕對的是非對錯。相處上出了問題，彼此都應該檢討反省，不要受了委屈，就立刻想還以顏色。

尤其，惡人先告狀，是最不可取的策略，得不到同情，還更傷感情。得不償失的事，居然還費盡心思去做，不是很諷刺也很可惜嗎？

網路上的愛情智囊團

What About Love......

在網路上對陌生網友傾訴，
尋求非專業諮商，除了很方便之外，
還有「不必擔心隱私曝光」的好處，
但是，真的有效嗎？

愈來愈多人在網路上吐露自己的心事或表明感情困境，向陌生網友求助。我常在瀏覽網友的部落格、或是以兩性相處爲主題的網路討論平台，看到類似的現象。網路上的愛情陪審團，已經成爲非具體組織，但很有影響力的一種社群。

後來，看到董氏基金會發表的最新調查顯示：大學生感到鬱卒時，向網友求助的比率（17%），高於學校師長（13%），也高於學生輔導中心（5.3%），更加印證網路上的愛情陪審團，有舉足輕重的份量。

有些憂心忡忡的家長詢問：「爲什麼大學生有感情問題時，不找專業的輔導管道，而是喜歡在網路上向陌生網友尋求非專業的諮商？」

我知道他們擔憂的是：因爲感情問題而陷入情緒低谷的子女，究竟能不能得到眞正有幫助的解答？

其實，不必太過緊張，大學生在課餘時間，有很高的比例都是掛在網上，有壓力或心事時，透過網路紓解一下，並不是什麼壞事。

我曾經很仔細觀察這個現象，認為他們還是以「傾訴心聲」、「發現不滿」為主，對於碰到的問題該如何處置，自己早有定見。網友七嘴八舌的意見、各種角度的看法都有，集思廣益也許更能讓當事人看清楚目前的處境。

別說是年輕朋友了，熟男熟女透過網路尋求感情諮商的比例，也不算低。除了「唾手可得」的方便性，還有一個很重要的原因：透過網路諮商可以用匿名方式盡情傾吐個人情緒，而不必擔心隱私曝光。就算你公開罵老闆豬頭、批情人下地獄九次、咒朋友遭受天打雷劈，頂多就是造口業而已，也不會替自己招來什麼實質的傷害。

至於向網路愛情陪審團訴苦的效果，究竟如何呢？

如果當事人需要的，只是想把積壓的心事一吐爲快，效果眞是立竿見影，在書寫心情故事的時候，就已經有了自我療癒的作用。

倘若當事人需要的，是情緒的安慰或心理的支持，那就要碰運氣。畢竟，沒口德、愛修理人的網友，也不在少數。

萬一當事人需要的，是專業的諮商輔導，那就要找相關的機構，把陌生網友當心理醫師，的確不妥。

剛剛失戀的瑩珍，就在一個女性網站上貼文，說出自己被男友欺騙感情的經過。爲了避免觸法，她很節制地省略男友的姓名及照片，但把事實發生的經過鉅細靡遺地描寫出來，得到很多網友的回應。有人同情她的遭遇，給她安慰與鼓勵；有人直接罵她笨，訕笑她太白目，受騙也算活該；有人附和她，也說出自己被騙的經驗，以故事接龍方式提出更多觀點……

這些網路上的愛情陪審團，未必具備專業心理諮商的知識，但撫慰人心的效果卻不算太差。當然，也有少數偏頗而危險的言論，諸如：「妳自己犯賤，不如去死！」不過大多會立刻遭到其他網友圍攻。

幸好瑩珍很清楚，這些網路上的愛情陪審團，都是熱心有餘、但未必專業的臭皮匠，她並不指望他們可以勝過一個諸葛亮，卻能感受大部分陌生網友的善意與支持。對於一個在半夜因爲傷心而哭到睡不著的女孩來說，向這些愛情陪審團抒發苦悶，而在過程中得到一點讓自己熬到天亮的溫暖，其實也很足夠了。

在心靈脆弱的時刻，獲得「情緒的抒發」，要比「理智的建議」更為急迫。畢竟對陌生網友進行「虛擬的傾訴」，的確可以得到精神上暫時的慰藉；如果需要真正的專業諮商，還是要透過正確的管道。目前，已經有具備專業證照的心理學家在網路上成立諮商中心，讓求助者可以克服害怕曝光的心理障礙而獲得協助，這是網路上新崛起的智囊團，讓徬徨無依的網友可以有更好的選擇。

以死要脅的後遺症

What About Love......

動不動就說：「我好想死！」
短期內，或許可以得到同情，
爭取別人的注目及關心，
但長期而言，會有哪些副作用？

不知道從什麼時候開始，「你就讓我死吧！」「我乾脆死掉算了！」已經成爲嫚玉的口頭禪，和她共事的人，聽久了都覺得不舒服。無法忍受這種精神虐待的同仁，按捺不住脾氣，很不客氣地嗆她：「要死的話，妳自己去，不要拖著我！」她居然還回嘴：「等我死了，一定做鬼來抓你！」

動不動就說自己想死的女人，過去一定有很不幸的遭遇；但是，不斷地把

「死」掛在嘴邊，只會讓自己的未來更不順遂。

嫚玉不僅在職場上踢到鐵板，愛情也不如意。不管跟誰談戀愛、無論碰到什麼樣的對象或狀況，只要有點不順心，她始終可以使出萬年不變的招數：「一哭、二鬧、三上吊！」而且還常常省略前面兩個步驟，毫無預警就打電話或發簡訊說：「我好想去死。如果我死了，你會比較快樂吧！」

她的歷任男友，又有什麼回應呢？小湯是個脾氣好、耐性高的男人，剛開始還非常緊張，深怕她出事，連哄帶騙地呵護，像照顧小女孩一樣。可是時間久了、次數多了，她變成他心目中「放羊的孩子」，因爲「尋死！」只是一匹從未出現的狼。曾經不只一次，他爲了急著想要挽救她的生命而疲於奔走；重複多次之後，他終於也累了。然而讓他下定決心要離開的原因，卻是：「再這樣下去，眞正想去死的人，會是我吧！」

另一個男友嘉昇警覺性很高，兩人初次發生小小的爭吵，只是爲了芝麻綠豆大的小事，本來他以爲過一會兒就好了，卻聽見嫚玉竟然說：「我好想現在就死在你面前。」讓嘉昇瞬間驚嚇得意識到，這段愛情不是他能久留的地方，於是想辦法漸漸地疏遠她。

事後嫚玉很不甘心，還是重施故技，以簡訊發動攻勢，三不五時就寄出「我若自殺，你要負責！」之類的內容，讓嘉昇很困擾，還去警局備案，驚動警方出面勸告嫚玉要珍惜生命。

以死要脅，是非常負面的手段，當然很難會有正面的效果。被威脅的人，即使短暫屈服，也是不甘不願地配合，雙方都沒有得到真正的幸福。更何況，愛情必須兩情相悅，不能有絲毫勉強；如果用死來逼迫對方，就算能達成目的，把他強留在身邊又有什麼意義？

有些喜歡拿這招來脅迫情人的人更扯，還會強調：「我是說眞的，不是跟你鬧著玩的！」甚至還付諸行動，拿美工刀割自己的手腕，留下細細痲痲的刀痕。這些行爲，無法表現愛有多深，只會證明該去掛號看醫生。

嘴巴上「想死」，令人生厭；行動上「尋死」，也難被同情。生命是多麼珍貴與美好，怎能被自己拿來糟蹋？當「我乾脆死掉算了！」的念頭一再浮現，眞的應該向專業的心理諮商師或精神科醫生尋求協助，而不是向最愛的人哭訴。自虐和虐人，將會逼使彼此都變成愛情的恐怖份子。想獲得幸福，就必須學會用對的方法相處；想要雙方都過得快樂，就要先找到善待自己的方式。

你能為複雜的感情理出頭緒嗎？

Q：和戀人一起來玩最熱門的數獨遊戲吧，你能運用邏輯腦迅速解答嗎？

（題目提供：台灣數獨協會）

8		3	6		4			
		5				6		
					8	2		
2			4			7	9	
4								2
	5	8			2			6
		2	9					
		4				8		
			8		5	9		4

（答案請見下頁）

A：你答對了嗎？

8	2	3	6	7	4	1	5	9
1	4	5	2	9	3	6	8	7
6	7	9	5	1	8	2	4	3
2	3	1	4	5	6	7	9	8
4	6	7	1	8	9	5	3	2
9	5	8	7	3	2	4	1	6
5	8	2	9	4	7	3	6	1
7	9	4	3	6	1	8	2	5
3	1	6	8	2	5	9	7	4

若權的幸福通關密語

雖然，我們都知道，兩個相愛的人，只要談情、不必講理。因為各自堅持的道理，是永遠說不清楚的，不如設身處地，為對方著想，知道他在什麼樣的情緒之下，有了這些堅持的道理，就能化解彼此的摩擦或對立，重新找到溝通的原點。

但是，不要忽略了，所謂的「不必講理」，並不等於「不講理」！「誰比較有理？」的問題可以先擱一邊，兩人溝通卻不能完全沒有「邏輯」。即使願意「設身處地，為對方著想，知道他在什麼樣的情緒之下，有了這些堅持的道理」，這也是一種帶著豐富感性的邏輯推理。伴侶相處，真的不是要爭出誰有「道理」？而是要看看誰比較能「同理」？彼此都能「同理」，感情就不容易出問題。

PART 5

對堅持讓步，溝通才會進步！

分享心靈，重點在於溝通模式的建立，
要從兩人開始交往之初，就培養好的習慣。
男人要給女人二十分鐘，耐心傾聽對方說話；
女人要給男人二十分鐘，讓他享受獨處的自由。

他是男友，不是男傭

有個男人想追女人。
但是女人一直很大女人主義，
老是要男人為他服務。
冬天的某個晚上，女人堅持要
到山上去看夜景，
也不管男人才剛
加完班累死了。
現在馬上，
帶我去山上看夜景!!
…好的。

那天晚上真的很冷，
女人故意不穿外套，
想測試男人的心意。
今天好冷喔！
人家忘了穿外套了。
……
還好還好，
我有記得穿外套，
不然我就會跟妳一樣，
也冷個半死了。

情人愈吵愈甜蜜

What About Love.....

吃燒餅，沒有不掉芝麻的：
伴侶相處在一起，也很難不吵架。
有沒有什麼方式，是有建設性的溝通，
讓伴侶可以愈吵愈甜蜜？

曾經在生意很好的港式飲茶酒樓，目睹一對情侶吵架。這對情侶剛看完電影，兩個人都肚子餓，急著來飲茶，想趕快吃點東西。可能是餓壞了，雙方情緒都有點緊繃，加上當天酒樓生意很好，他們點的餐飲遲遲還不上桌，兩人大眼瞪小眼，終於擦撞出內心囤積已久的不愉快。

女方首先發難：「我想跟你溝通一下！可不可以請你的眼睛安份一點，不要人坐在那裡，眼睛飄來飄去……剛剛我在買電影票時，你一直看旁邊的女生，是什麼意思……還有，上次我們去水上樂園，你不只是看，還看到生理都有反應了……」坐在她對面的男人，本來還耐住性子聽訓，當女友愈講愈大聲，他也惱羞成怒了：「夠了沒？妳到底想不想吃這頓飯？」女友大概意識到溝通不下去了，很克制地自己沉默下來，兩人臭著臉，安靜地開始用餐。

老實說，我很擔心他們離開餐廳後，會用什麼方式繼續相處？把疙瘩放在心底，假裝對問題視而不見？還是針對同樣的問題，不斷吵下去？或是，當不愉快累積愈來愈多，有一天就這麼分手了？他們無效的溝通模式，其實就是情侶吵架最典型的問題：在不對的時間、不對的地點、提出不相干的抱怨，而且還有情緒上的遷怒及算舊帳的嫌疑，於是彼此心中的不滿，如滾雪球般愈來愈大，處理起來也愈見棘手。就算沒有分手，勉強在一起也很不快樂。

溝通，本來就不是簡單的事。這幾年來，各種溝通理論或著述十分普及，大家都培養出「溝通很重要」的意識。但是，方法卻不見得對，「有溝，沒有通」是最常見的問題。甚至，還有很多情侶把吵架當溝通，氣氛火爆，傷及和氣，很難回到當初的甜蜜。

吃燒餅，沒有不掉芝麻的；伴侶相處在一起，也很難不吵架。但是，有建設性的溝通，可以愈吵愈甜蜜；沒建設性的拌嘴，只會愈吵愈有距離。

想避免因為吵架而鬧得不愉快，就應該把握以下「愈吵愈甜蜜」的法則：

1. 慎選溝通的地點及時機——必須在雙方都可以心平氣和講話的時候進行，最好旁邊沒有其他不相干的人存在。
2. 每次溝通只談一個議題——不要把很多事湊在一起講，聲東擊西的結果，常令對方無法釐清問題的原因及處理方式，只覺得你在找碴。
3. 盡量使用「合作」句型——例如：「我們……有些問題，想辦法一起來解決。」而不是：「你……有問題，你一定要改！」
4. 理性表達後可暫時擱置——有些問題不是立刻可以處理或改善，理性表達完之後，可以同意暫時擱置，給雙方足夠的時間觀察及消化，不要急著想「畢其功於一役」，以免給雙方帶來更大挫折及壓力。
5. 擬定改善的方式與計畫——對於能立即處理的問題，雙方可以擬定改善的方法與計畫，彼此支持、協助，讓同樣的問題不再重複發生。

參考以上五項溝通法則，可以幫助戀人愈吵愈甜蜜！

愛，要說也要做！

What About Love......

感情的經營，需要完整的互動。
愛，既是要說、也要做，
光說不練，流於花言巧語，
會給彼此帶來什麼樣的問題？

自從騎機車摔傷之後，筱玫就有很嚴重的恐懼症，不敢再騎車上路。學長文強平時爲人就很熱心，這會兒更是義不容辭，每天負責載送負傷的筱玫。

兩個人經過名符其實的「朝」「夕」相處，感情漸漸增溫，已經到了有點曖昧的地步。旁觀者都看出他們之間應該冒出火花了，筱玫竟還猶豫地自問：「有嗎？有嗎？難道這就是愛嗎？」

朋友都怪筱玫太龜毛，甚至打抱不平地對她說：「學長都付出這麼多了，妳還不明白他的心意嗎？」筱玫知道自己若再爭辯下去，就會被說是故意裝傻，但是她仍迷惑著：「怕我睡過頭，打電話叫醒我；不分晴雨，每天接送我；知道我肚子餓，很晚了還願意去幫我買宵夜……這樣就是愛嗎？如果他眞要追求我，爲什麼不正式告白呢？如果他愛我，爲什麼有時候對我忽冷忽熱呢？」

筱玫實在太年輕，不知道某些男人對於愛的告白，是所謂「只做不說的行動派」。並非每個男人都會精心策劃令女孩又驚又喜的浪漫儀式，有的男人會選擇細水長流地默默付出，儘管沒有那麼轟轟烈烈，但還是希望能打動女孩的心。

就像很多個性耿直木訥的男人，文強以爲只要持之以恆地認眞相待，總有一天筱玫就會明白。但是，他並非聖人，也有力氣用盡卻得不到愛而感覺氣餒的時候，看在筱玫的眼底，卻誤解爲「忽冷忽熱」！

其實，類似的互動方式，也不全然是哪方面的錯。愛情的經營，需要完整的互動。愛，既是要說、也要做。光說不練，不免流於花言巧語；只做不說，又教人難以猜透。

女人，常錯在太矜持；男人，則敗在太老實。當有意進一步交往的兩個人，心裡都浮現「他到底愛不愛我？」的問號時，彼此都需要靜下心來，去看，去聽，去感受。

如果，雙方都已經很努力地這樣做，卻還是得不出肯定的答案，依然徘徊在愛與不愛之間，兩難疑惑，就不宜太快做出決定，應該給彼此多點時間，考慮清楚再說。

已經願意誠懇對待，卻無法感受相愛，有幾個可能的原因：曾經受過愛情的創傷，還沒有完全復原，所以既期待又怕受傷害；雙方的個性都太理智，於是患得患失，不敢去愛；彼此真的比較適合做朋友，沒有戀愛的感覺……以上理由，看起來都是兩人相愛的路障，卻是各自幸福的保障。

愛，既是要說、也要做，但更需要的是：機緣。時機和緣分，缺一不可。如果機緣不成熟，也勉強不得。相識，不一定能相愛；相愛，不一定能相守；相守，不一定到白頭。是的，正因為愛如此稀有難得，才更顯珍貴。所以，還沒有很強烈的確定感之前，不要急著牽手。

誰願當網路糾察隊？

What About Love......

只要伴侶安分守己，
不在夜深人靜時，
利用網路做些不可告人的勾當，
誰會願意扮演「糾察隊」吃力不討好的角色？

網路，可以是方便的溝通工具，但也可能是相處的障礙。網路本身真的非常中性，是非善惡之間，其實都是由使用者自己定義。而伴侶或親子之間對網路的定義方式，其實正呈現出彼此感情的品質。

詩瑤和錦棠在交友網站上結識，通信兩個星期後，相約見面，隨即墜入情網，熱戀期沒有任何摩擦，羨煞了身邊的好友。本來大家對「網路交友」都有點存疑，看到他們幸福的模樣，連平常從不瀏覽交友網頁的朋友，都躍躍欲試了。

可惜，好景不常。就在詩瑤和錦棠慶祝交往屆滿三個月的旅行結束，回到錦棠的住處，詩瑤無意間在電腦螢幕上，看到錦棠的MSN聯絡人表單，發現有很多陌生的美眉，進一步檢查他的對話記錄，看到更多曖昧的語言。

她當場發飆，錦棠也很不高興，兩人大吵一架，接下來的關係就處於緊張狀態，而且幾乎永無寧日，嚴重到讓詩瑤常常問自己：「這段關係還該不該繼續？」

他們決定面對感情的問題，來一次深度溝通。錦棠說明會有那些對話的原因，只是自己一時改不掉「愛打嘴砲」的壞習慣，閒來沒事上網殺時間，留下瓜田李下的誤會。他保證會刪除那些美眉的帳號，相對地也要求詩瑤：此後，不得再當網路糾察隊。

詩瑤當場接受這個條件，目睹他刪除陌生美眉的帳號，嘟著嘴說：「誰願意當網路糾察隊呀？」

她說的沒錯！「誰願意當網路糾察隊呀？」這句話像是抱怨，也是心酸。如果伴侶安分守己，不在夜深人靜時，利用網路做些不可告人的勾當，誰會願意扮演

糾察隊

「糾察隊」這個吃力不討好的角色呢？充當「糾察隊」，可比蓄意犯錯的人還更提心吊膽呢！

事後，朋友們都說詩瑤眞傻，那些陌生美眉的帳號，不但可以恢復、也可以新增，錦棠若是故意耍手段、來陰的，吃虧最多的其實是詩瑤。她卻不這麼認爲，反駁說：「如果要來這套，吃虧最多的是他自己！」

詩瑤的說法，顯得很有智慧！在愛戀的過程中，如果我們給了對方最寶貴的信任，而他卻不能相對地珍惜，沒有表現出可以被尊重的言行，損失最多的人，真的是對方啊！他從此將失去對於信任的了解及意義，別人不會再輕易相信他，他也不再相信自己。

網路的世界很自由，所以更需要自律。只要懂得自我約束，就不需要任何糾察隊盯著你。

擁抱之前 該有的練習

What About Love......

感情這件事，不是工廠裡的生產線，
沒有統一的標準作業程序。
別人覺得非常有效的做法，
難道就一定是萬靈丹？

每當看到隔壁鄰居一家人歡喜出遊的情景，秋霞的內心都有無限的感慨。她是一個單親媽媽，和十四歲的兒子阿丹相依爲命。

阿丹小時候還算聽話，自從父母離異之後，就變得有點叛逆。當時，他只不過九歲而已，就開始很會跟媽媽唱反調；上了國中，母子的關係更緊張了。

很多朋友提供秋霞拉近親子關係的做法，勸她要常常跟阿丹說：「媽媽愛你！」甚至要擁抱他。本來就不習慣這套美式溝通的秋霞，聽了這些建議之後，更是頭皮發麻。

她還沒離婚之前，跟前夫都很少在床上以外的地方說這些話、做這些親密動作，如今要她跟兒子用這樣的方法拉近親密關係，眞是讓她非常爲難。

眼見自己和兒子的溝通愈來愈困難、關係愈來愈疏遠，連她問：「今天補習補到幾點回來？」兒子都只是「嗯」了一聲，沒有回答眞正的時間，秋霞覺得：「事情眞是大條了！」在無計可施的情況下，她終於鼓起勇氣，找機會試試朋友教她的撇步。

這天兒子打球回來，全身都是臭汗，秋霞急著催他洗澡、換衣服。躲進房間上網的阿丹很不耐煩，三拖四推，母子展開爲期三十分鐘的拉鋸戰，他終於才不甘不願地沐浴更衣。

秋霞準備了清涼可口的綠豆湯，坐在餐廳旁邊等著兒子從浴室出來享用。當阿丹靠近餐桌，她緊張兮兮地湊過去說：「媽媽愛你！」然後給他一個很不自然的擁抱。

這突如其來的舉動，很顯然嚇到阿丹，他惶恐地說：「媽，妳怎麼了？」

一不小心就把桌上的綠豆湯給打翻了。

一幕溫馨戲劇演成恐怖鬧劇……此後，阿丹的叛逆行為並沒有顯著改善，母子之間還多了些尷尬。

感情這件事，不是生產線，沒有統一的標準作業程序。無論是戀人或親子之間，別人覺得有效的做法，未必對每個人都是萬靈丹。有樣學樣之前，要先看看彼此的感情體質，是否健康。尤其，任何違反常情的「大動作」，都必須有足夠的信任基礎，否則很容易產生誤解。沒有搞清楚症狀就下猛藥，會加速病入膏肓。

有位平常很木訥的朋友，從不曾對太太甜言蜜語，也沒送過像樣的禮物。某天他心血來潮，突然買了一條鑽石項鍊送太太，她在短暫的驚喜之後，卻不斷詢問：「你是不是做了什麼對不起我的事？」

擁抱，不一定能傳遞愛。除非，在擁抱之前，彼此已經理解並接受雙方的善意。化解對立、拉近距離，需要更多耐心及時間，一味地想要速成，很容易有反效果。

分享，才不會分手

What About Love.....

分享心靈，要從兩人交往之初，
就培養好的溝通習慣。
認真地傾聽，是最基本的溝通態度，
有什麼關鍵的技巧，必須及早學習？

相處時，你是個喜歡付出的人嗎？不求回報的付出，無疑是非常感人的；但是，有時候自以爲不求回報而默默付出的這一方，碰到很自私又不願分享的對象，才會驚覺：原來，自己的愛是有條件的。當對方的反應不是自己所預期的，還是會落空、失望到心痛的地步。

用物質交換物質，其實要算是最簡單的層次。在情人節或生日互送禮物，

是最典型的方式，有些情人會說：「我不在乎對方送我什麼，即使只是一朵玫瑰、一顆巧克力也好，心意最重要。」

於是，再往上的一個層次，就是用物質交換心意。我對你好，不強求你也對我一樣好，但至少你會明白我的用心。

達到這個層次之後，接下來的就有點難度了：用心靈交換心靈。例如：我把所有的感想都告訴你，接下來，換你說說你的心得囉！

很多情侶在交往到某個程度之後，就會卡在這裡；而且大部分的案例，是女性抱怨男性。典型的說法是：「我什麼話都跟你講，你爲什麼把心事都放在肚子裡呢！」主要的原因是，男人沒有溝通心靈的習慣，推心置腹的men's talk只會發生在有拜把交情的哥兒們之間，女性若要強求這種心靈分享，恐怕是自尋煩惱。

大多數的男人不肯分享內心世界，原因固然可以歸結於性別差異、溝通習慣，但是，還有一個理由是跟女性自身有關。

男人，是愛面子的動物，若要對心愛的女人說出自己的心事，都會擔心對方的眼光。偏偏，女人的好奇心都很重，當男人開始細說從頭，女人的反應就是打破砂鍋問到底，一邊聽還一邊評論，聽熟了還來這一句：「好漢不提當年勇啦！」呵，這教男人怎麼講得下去呢？

於是，負面的循環漸漸形成，女人愈是想知道男人究竟在想什麼，男人卻愈是不敢把話說出口。兩人的心靈距離漸行漸遠，失望的女人怨嘆說：「既然不肯分享心事，不如就分手吧！」弄得男人也很無奈。

分享心靈，重點在於溝通模式的建立，要從兩人開始交往之初，就培養好的習慣。聆聽的技巧，並沒有性別差異，認真地傾聽，不要任意打斷或發表評論，是最基本的態度。

當對方欲言又止的時刻，可以順其自然，有時候沉默反而是鼓勵對方繼續說下去的技巧，而不是主動積極地逼問：「你繼續說啊！」或「你不說，我翻臉囉。」若讓對方感覺壓力太大，就會有負面效果。

最簡單的方法是：保持溫柔的凝視眼神，以「嗯」、「喔」、「是」或點頭回應對方。相愛的伴侶可以從這裡開始練習，只要有過幾次美好的分享經驗，在幸福道上攜手前進，沿途就會有說不盡的故事、看不完的風光。

再忙也要親密二十分鐘

What About Love……

忙碌的現代生活中，
多數伴侶都是各忙各的，
能夠相處的時間可以說是少之又少，
在時間有限的前提下，如何維繫親密關係？

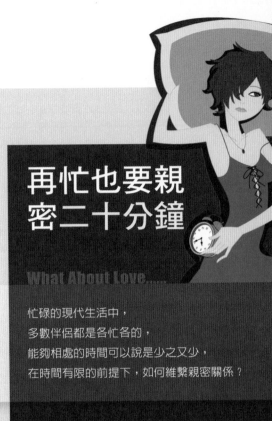

維繫感情說要「重質不重量」，其實只是自我安慰的話。唯有相對地付出時間和眞心的陪伴，才是經營感情的良方。但是，忙碌的現代生活中，多數伴侶都是各忙各的，能相處的時間可說是少之又少，在時間有限的前提下，如果雙方都欠缺經營感情的時間觀念，兩人的關係很容易漸行漸遠。

即使生活在一個屋簷下，彼此也很關心對方、眞心想和對方有所交集，卻因無能爲力而形同陌路的伴侶，愈來愈多了。在一次心靈成長課程中，我聽到男女學員都同聲哀嘆，和伴侶之間出現一種很尷尬的狀況——彼此都認爲深愛對方、也很重視對方，卻不再有沉浸於戀愛中的感覺；回到同一居所相處或共眠，彷彿只是良知上的義務，而沒有眞正親密的感覺。

普遍而言，女性學員都有極其類似的經驗：做完家事，想和男伴靜下心來說幾句話，對方卻早已呼呼大睡，落空的她躺在床上輾轉難眠，猶如枕邊睡個陌生人一般淒涼。她知道自己依然還愛著對方，也相信對方沒有做出任何背叛感情的事，但各自的心靈卻像是兩座分開的孤島，找不到可以通往對方的橋樑。

男性的經驗稍微好一點，對親密關係的心靈溝通，要求程度不高，但未必就代表幸福的滿意度會比較高。男性感覺伴侶是不是足夠了解他的指標，是建立在對方會不會很嘮叨？

如果男性生活在每天被女伴碎碎唸的環境裡，他就會無所不用其極地想要脫逃。基於對感情的責任，也許他的身體還留在家裡，卻心不在焉，以看電視、上網、或對女伴說的話充耳不聞，來表達他對現實生活不滿的抗議。

兩性各自的渴望，若都得不到妥切的回應，就會形成惡性循環：女人愈想說

話，男人愈不想聽；男人愈想自由，女人愈不放手。

來自德國的一對夫妻，維納・提契・區斯坦（Marion Kuestenmacher）和瑪利昂・區斯坦（Werner Tiki Kuestenmacher）出版了《愛，一切從簡》這本書，提出「關鍵二十分鐘」的建議。他們認爲：不論生活有多麼忙，相愛的兩個人只要每天願意給對方二十分鐘，就可以維繫最基本的親密關係。男人要給女人二十分鐘，耐心傾聽對方說話；女人要給男人二十分鐘，讓他享受獨處的自由。

我在心靈成長課程中分享了這個建議，學員們果然如我所料，一陣譁然。女性學員都堅持她每天給男人的自由時間不只二十分鐘，卻從來沒有得到男人應該相對回饋的二十分鐘傾聽時間。女性所陳述的，的確是事實。但是男性學員中也有人抗議，他看電視或上網時，女伴不是繼續碎碎唸，就是無言抗議、臉臭到不行，哪有眞正的自由啊？

從他們容易激動的反應中，我看得出來，長久以來他們渴望被善待的心，一直都沒有眞正得到滿足。但是，一味地抱怨，只會讓情況更糟。要改變相互對待的方式，必須先從改變自己做起；要改變彼此的相處模式，必須先從二十分鐘開始。雙方都要先捨得花這些時間給對方，兩人才有可能幸福一輩子。

綁在一起也很自由

What About Love......

警察型的戀人善於處處偵防，
很容易碰到小偷型的對象；
放牛吃草型的戀人採取開放策略，
他的伴侶為什麼卻還選擇留在牧場？

看到好友美芊幾乎和男友形影不離，若蘭既羨慕、又佩服。不曉得美芊哪來的馴服男友絕技，能夠這樣把他圈在兩個人的愛情世界裡，難道彼此不會因爲靠得太近而無法呼吸，感覺快要窒息？

望著男友的側臉，美芊沉醉在幸福中，笑笑地問：「有嗎？我有限制你行動嗎？我還怕你老是黏著我哩！」男友沒有回答，開心地用手肘推了美芊一下，小小動作，更顯得兩人的親密。

若蘭感嘆地回想起前幾任男友，沒有一個對她死心塌地，短短幾個月的熱戀期過去，男友就會爭取自由的權益。例如：可以不說明去處，就失蹤一整天，手機不接，簡訊不回，完全不知道人在哪裡。

每當她逼問，男友總是回答：「就跟妳說在睡覺唄！」要不然就是：「手機關靜音，沒聽見！」有時候甚至直說：「男人需要空間，妳管得太緊，我根本無法喘氣。」

在戀愛經驗不夠豐富的階段，若蘭眞的會接受這些抱怨，認爲自己的確有問題。直到歷次揭發男友說謊的眞相，她才恍然大悟，男人口口聲聲要的自由，根本就是找機會想使壞的鬼話。

其間，她曾經爲了要有安全感，刻意選擇宅男交往，反正他休閒時間都待在家裡，掛在MSN上面，應該不會有問題吧！

沒想到這位宅男情人，也很不守本分，無論打線上遊戲、還是到聊天室，都會找美眉聊天解悶，還身陷桃色風暴之中。

最後若蘭和他分手的原因，是他被詐騙集團的色情網站恐嚇，必須以現金

五十萬贖回他在網路攝影機前自慰的畫面，而他竟還敢厚著臉皮，找若蘭幫忙籌款，讓她氣得拂袖而去，從此不再相信男人會珍惜女人給的自由。

聽完她的悲慘經驗，美芊只能眞心感恩，說自己很幸運，她對男友沒有實施特別的監控，但不曾碰過那樣不堪的狀況。

愛情的世界，存在奇妙的磁場。戀人的相處模式，有時是彼此共同培養的；如果你總是愛上不成熟的人，表示自己的內心也有某些部分，必須更進一步成長。

警察型的戀人善於處處偵防，就很容易碰到小偷型的對象；放牛吃草型的戀人採取開放策略，他的對象卻選擇留在牧場。只要雙方有足夠的理解與信任，即使綁在一起的時候，彼此也會覺得很自由。

所有能拘束對方行動的方式，都無法看管一個人的心。當他的心有所歸屬，行動就不會超越自由該有的界線。這是情人之間的弔詭，卻不是技術層面所能解決。除了避免讓自己在戀愛之後，扮演警察型的角色，更重要的是，在陷入情網之前，提醒自己觀察對方的行爲模式。

對方若是在缺乏安全感的家庭環境中長大，不安的情緒常讓他以爲必須放蕩漂泊，才叫做自由。反之亦然，如果你從小就沒有安全感，也會誤把掌控對方行動，當作付出的方式。這兩種類型的人，對彼此而言，都有致命的吸引力，卻都會愛得很不快樂，終於導致分離。

愛情裡真正的自由，並不是能夠隨意遊走天南地北的行動力，而是打從心底就願意守護對方、承擔責任的能力。源自於內在真誠的付出，就是愛情所賦予伴侶彼此的最大自由。

幸福集點兌換卡

What About Love......

「失敗為成功之母」只是勵志格言。
真實的人生裡，失敗猶如雞生蛋、蛋生雞，
歷經小小的不幸後，就習慣了接受更多不幸。
如何跳脫失敗的魔咒，成功地找到幸福？

人的一生，大部分的命運都是有起有落。少數是啣著金湯匙出生，富貴終身；另一種少數是在窮困潦倒中度過一輩子。而更稀有的人，則是年少極其不得志，卻能大器晚成，在苦盡甘來之後，獲得反敗爲勝的幸福。

在感情的路上，甄芹走得很不順遂。她婚前只交過一個男友，把寶貴的第一次親密關係獻給對方，卻在無意中懷孕，對方竟置之不理，沒有承諾娶她就算了，還懷疑孩子是誰的種？傷心欲絕的甄芹，決定當個未婚媽媽，獨立扶養孩子，卻又因爲工作太勞累而流產。

接下來的幾年，她把心力都放在工作上，不再輕易談感情，即使態度非常慎重，依然有追求者打動芳心。對方是個勤奮好學的男人，半工半讀還要養家，甄芹很欣賞他的孝順和負責，漸漸投入感情，論及婚嫁時，男方竟在例行的身體檢查中發現自己罹患末期肝癌，十個月後離世。

告別悲傷的往事，甄芹的感情沉寂了很長一段時間。隨著歲月的腳步，她來到世俗觀念中適婚年齡的最後底限，以三十六歲的高齡捧著待嫁女兒心，在生命轉角遇見曾經離過婚的他，兩人決定廝守一生。

結婚前夕，他以安慰的語氣鼓勵甄芹：「因爲我們過去都有很多小小的不幸遭遇，累積起來，終於換到一份大大的幸福！」

甄芹聽懂他的好意，笑著說：「感覺怎麼好像百貨公司集點換贈品喔！」

累積很多小小的不幸，就能夠換到大大的幸福嗎？戀人之間的甜言蜜語，總是非常動聽。就像「失敗爲成功之母」這樣的勵志格言，在精神上有很大的激勵作用，實質上卻不一定成立。

眞實的人生是「失敗爲失敗之母」，很多人歷經小小的不幸之後，就習慣了接受更多的不幸。其中沒有反省、沒有檢討，也不求改進。無論是雞生蛋、還是蛋生雞，失敗之後接著失敗，連著都是惡性循環。

真正能夠反敗為勝的人，是因為有決心要跟失敗說再見。有計畫地隔離失敗的心態，並且在過去的經驗中學習教訓。

若要從累積很多小小的不幸之中，換到大大的幸福，就眞的必須像在賣場「集點換贈品」一樣，從過去的不幸中找到「不再失敗的印花」，貼在「幸運兌換卡」上；每一枚印花都是自我的提醒、也是智慧的累積，等到點數夠了，就會換到心中所要的幸福。

你能正確判斷愛的走向嗎？

Q：談愛情時，難免迷失方向、困難重重，你能與另一半攜手突破難關，走向幸福的彼岸嗎？

（答案請見下頁）

A：你答對了嗎？

若權的幸福通關密語

　　愛情，可以被比喻為人生中很重要的一棵樹；但是，畢
命，是一座浩瀚的森林，除了愛情這棵樹，還有親情、友誼
等不同的樹木，要花時間及心血照顧。甚至，偶爾林間小徑
誘惑，讓追求真愛的人碰到障礙或迷路。這時候，多情人必
的視野，拉高感情的層次，才能避免出現「見樹不見林」的
靈引導自己，找到幸福的方向。

　　成熟的感情，其實彼此思慮很周密、層次夠清楚，即使
雜有如迷宮的人生道路上，也可以靠著直覺的判斷，找到真
有時候，仔細想想，就會相信：追求幸福不該一味地貪求捷

PART 6

對成見讓步，心靈才會進步！

平日保持愛情的恆溫，多溝通、常交心，
就不會因小小誤會沒有解決就漸行漸遠。
回歸平凡真實的自己，寬容看待對方，
很多成見就能因而化解，重新珍惜得來不易的緣分。

戀人想的可能和你不一樣

有對情侶男的帥、女的美，十分登對。
但女生就是愛吃醋，
醋
總愛疑神疑鬼地對男友搜身。
每一天……
你給我說清楚喔！這是誰的頭髮？
……

短頭髮？
又換成短髮俏妞了？
每一天……
這次是金色頭髮？
該不會是交上洋妞吧？
每一天……
都沒有??
每一天……
捲頭髮？
你認識哪個
捲毛女人了？
每一天……
呃……
喔!我的天吶，
你現在竟然愛上
禿頭的女人了……

用謙卑取代嫌棄

What About Love......

無關於對方的客觀條件好或不好，
當你心中已經有了主觀的成見，
感情就會失去該有的平衡，
究竟該放棄成見、還是放棄對方？

在參加朋友聚會時認識，宣明和紫鈴可以說是一見鍾情。兩人很快地陷入愛河，熱戀了將近三個多星期之後，在微雨的夜晚，結束約會之前，紫鈴娓娓訴說起自己不幸的身世。

她是個私生女，母親當年愛上有婦之夫，懷胎十月生下她，生父卻翻臉不認人，遺棄了這對母女。紫鈴跟著母親的姓氏，從小由母親獨自扶養長大，很渴望一份男人的愛……說到這裡，紫鈴淚如雨下，宣明把她緊緊擁入懷中，用雙唇吻乾她的淚痕。

爲了愼重起見，很懂得人情世故的宣明，還是安排雙方家長見了一面，在價格很平民化的西餐廳吃牛排。當下的氣氛很好，宣明的父母和紫鈴的媽媽聊得很愉快。回家之後，宣明的父母表示，很喜歡紫鈴這個女孩，唯獨對她的家世背景有些擔心。但是，他的雙親畢竟都受過高等教育，自己也知道這樣的擔心，是缺乏理性的，所以只是隨口碎碎唸了幾句，當作是給寶貝兒子的提醒，並沒有強力阻止他們繼續來往。倒是宣明心中有點受挫的感覺，很堅持地告訴自己，一定要扭轉父母對紫鈴的偏見。

事情又過了兩個多月，經過一番溝通及努力，宣明的父母終於不再有任何意見，鼓勵他們好好珍惜這段感情，甚至還問他是否有結婚的打算……

很微妙的事發生了，這個時候，宣明居然發現自己心

裡有了些疙瘩，換他開始擔心，紫鈴的單親家世背景，會不會是幸福的障礙？

同樣地，他自己也知道，這樣的擔心很不理性。紫鈴和他交往至今，所有的表現都是那麼體貼、善良，近乎完美。但他就是覺得心裡怪怪的，想到她是一對男女因爲偷情所生的孩子，就渾身不自在。

很顯然地，宣明心裡的疙瘩，來自一種幸福的優越感，對非婚生子女有所歧視。這個觀點和態度，當然是錯的，但是，如果他無法調整過來，心裡還是戴著有色眼鏡來看待紫鈴，兩個人繼續交往下去，對紫鈴很不公平。

宣明來找我徵詢意見時，爲了試探他的底限，我故意率直地對他說了這個無情的結論：「既然嫌棄，不如就此放棄！」無關乎對方的客觀條件好或不好，當你心中已經有了主觀的成見，感情就會失去該有的平衡。與其粉飾太平，僞裝和諧的表象，寧可以「長痛不如短痛」的原則，放了已經不被尊重的對方，讓他重新擁有被別人愛的自由。

然而，跟許多個案的當事人一樣，宣明堅決不肯放棄的原因是，他絲毫不肯承認自己內心的情緒叫做「嫌棄」，因爲這樣的情緒會突顯他內在的優越感，讓驕傲成爲自己品德上的瑕疵。

談戀愛的時候，很多戀人都有過這樣的心情，對方其實沒有做錯什麼，卻總覺得對方不夠好，心裡浮現莫名其妙的厭惡，但又說不清楚究竟是為了什麼，那就是一種嫌棄的情緒。

若要克服這種情緒，最簡單的辦法就是重拾謙卑的心情，告訴自己：「對方雖不夠完美，而我自己也有很多缺點，憑什麼挑剔他呢？」回歸平凡真實的自己，寬容看待對方，很多的成見就能因此而化解，重新珍惜得來不易的緣分。

如果不願意做這樣的努力，看到對方時心裡還是有所嫌棄，就不如趕快放棄，以免耽誤各自該有的幸福！

殲滅情敵的絕招

What About Love......

情敵，究竟是自己想像、還是真有其事？
出現蛛絲馬跡之後，
若印證自己的想像並非虛構，
應該如何面對及處理？

有時候「情敵」很難清楚定義，未必是已然成形的第三者，只要讓戀愛中的人意識到目前的感情受到威脅，應該都可以列名其上。

偏偏，當某個人物的出現，明明已經威脅這份感情，對方卻說：「你想太多，我和他根本就沒什麼，只是普通朋友而已！」而對方所謂的「普通朋友」，很可能是他的「前任情人」、「剛認識的網友」、「在公司眉來眼去很久的同事」……只要對方否認他們有任何曖昧，似乎就很難正式貼上情敵的標籤。

這是曾經讓典婉覺得非常困擾的事，自從她無意間在展翼的ＭＳＮ名單看見他前女友的帳號時，整個人就開始變得很沒安全感，只要展翼坐在電腦前上網，她就開始懷疑他很可能舊情復燃。

情敵，有一半以上的機率是自己想像出來的；但是，出現蛛絲馬跡後，若印證自己的想像並非虛構，就應該積極處理。否則，愛情被出賣了，還可能幫著對方數鈔票呢！這是學姊對典婉的忠告。於是，典婉開始在等待蛛絲馬跡，以便師出有名。

幾個星期後，時機終於比較成熟，因爲她在展翼的筆記本裡，看到一個生日的註記，那個日期很陌生，不是他們熟識親友的生日。典婉提出質疑，展翼很快承認了，但是，展翼還是強調他和前女友之間，只剩下單純的友誼，平常只是像老朋友般問候而已。

對於這樣的說詞，典婉只願意採信百分之五十，因爲特別去記住老朋友的生日，並不符合常理。於是，她坐在電腦旁邊，擺出一付趕盡殺絕的姿態，要求展翼一口氣刪除前女友的ＭＳＮ帳號、手機號碼等聯絡資料，自覺理虧的展翼乖

乖照做了。

典婉的戀愛態度，理性多於衝動，她知道——消滅情敵，當然不能使用暴力，而是需要靠腦力。事後，和朋友們討論起類似的案例，大家都覺得典婉的運氣眞好，在那個關鍵的時刻，發現了讓自己站得住腳的蛛絲馬跡，而展翼也願意虛心認錯，不但配合調查，還接受處罰。

其他朋友對付情敵的經驗，都沒有處理得這麼令人稱心如意。有的是根本查不到證據，發動攻勢的結果是：對方得了便宜還賣乖，甚至回罵：「你神經兮兮！」有的是罪證確鑿，對方惱羞成怒，還要求各自應該保有私人的交友空間；有的是表面認錯順服，背地裡藕斷絲連……

殲滅情敵，的確需要運氣，但更重要的是對方願意珍惜感情的誠意。因爲要被趕盡殺絕的，其實不是外面的情敵，而是存在於戀侶某一方的貪慾，也就是在感情即將正式出軌前蠢蠢欲動的念頭。

如果不是對方心底還有感情的良知，可以被理性喚醒，再狠毒的招式都無法滅絕外界的誘惑。相對地，如果對方心底還對這份愛存著依戀，只要溫柔的提醒，就能讓他收回玩心，和不該交往的對象絕緣。

兩好三壞拖很久

What About Love......

「兩好三壞」的感情狀態，
其實反映的是當事人對這段感情，
抱著「食之無味，棄之可惜」的心態，
關鍵一球，結果會是保送或出局？

有一種感情的狀態，叫做「兩好三壞」，耗在愛情裡的雙方都在等著一個特別的變化、或是突發的狀況，用以決定兩個人的未來。然而，通常的情形是：繼續耗著，而且會耗很久。因爲所謂「特別的變化」或「突發的狀況」，遲遲沒有來臨。

皓哲和夢穎這一對情侶，目前就處於這樣的階段。雖然每次皓哲犯錯，東窗事發之後，夢穎就會氣急敗壞地提出嚴正的警告：「你再惡搞一次，我就跟你分手！」但是似乎也沒什麼用，皓哲沒有變得更乖，她也沒有辦法離開。

若要說起皓哲的缺點，夢穎的話不多。但是，並非皓哲眞的那麼好，好到夢穎沒得挑剔，而是皓哲就有那些老毛病，例如：不夠體貼、約會常遲到、愛跟前任女友有些莫名其妙的牽連、習慣撒些小謊掩蓋自己的心虛……夢穎說再多，他也不會改，不如就不說了，靜觀其變。

過去有一段時間，他們的關係，好像師生或親子之間碰到頑劣子弟時的緊張，類似「我指責你是因爲對你還有期望，有一天等到我都不說話，就表示我對你失望透頂了！」這樣的對話，不時出現在夢穎抗議的言談中，只是沒想到她眞的漸漸累了，埋怨與期望都變成無言。

反正在夢穎的心目中，皓哲猶如被記了兩大過「留校察看」，她期待皓哲可以痛改前非，更希望他能脫胎換骨，只因爲她實在無法狠下心來，把他開除。

皓哲明白自己的處境，也知道夢穎怎麼看待他們的感情。固然自己曾經犯過一些嚴重的錯誤，但是對方也未必就完美，用「兩好三壞」、「留校察看」這些字眼，對他來說或許不盡公平。可是，他也不想多說什麼了。如果這段感情走

到這個地步，需要有人扛起所有責任，就由他來承擔吧……

兩個人的心態大不相同，卻一樣把感情推進解不開的瓶頸。短期之內，他們是分不開了，但是也很難變得更好。畢竟，愛情不是打棒球，沒有具體的時間壓力，如果硬要拖，還是可以拖很久。

要能分的話，早就分了！「兩好三壞」的感情狀態，其實反映的是當事人對這段感情，抱著「食之無味，棄之可惜」的心態。

彼此賴著對方，卻沒有具體的行動力。雙方都把自己困在一個「期待和事實有嚴重落差」的僵局裡；兩人都忘了「想改變對方，要先改變自己！」的道理，直到耗盡了所有愛情的元氣，才以各種可能或不可能的原因選擇了分離。

回首過去，在那個面臨「兩好三壞」的當下，期待對方悔改之前，如果願意換個觀點，先改變自己的態度，不再一味地挑剔，而是降低標準，給對方多點肯定及鼓勵，會不會現在還在一起，而且比從前更幸福甜蜜？

感情急速凍成冰

What About Love......

「冰凍三尺，非一日之寒！」
只不過溫度降得太緩慢、太悄然，
讓相愛的兩個人都失去該有的知覺。
如何提早褪冰，避免感情被凍傷？

海產魚蝦透過急凍手續，可以保鮮；戀人之間的感情若來個急凍處理，就很難再破冰。表面上看起來，好像沒有發生爭吵、也沒有致命性的問題，可是原本相處得好好的兩個人，經過短暫的沉澱之後，突然浮現日積月累而成的種種障礙，因此悄悄地在瞬間決定各奔東西的命運，這種分手模式就稱之為「感情急凍」。

秋嵐和元泰交往兩年半，兩人的相處模式幾近於同居。每天元泰下班都會

過來秋嵐的住處，吃便當、看電視，膩在一起，到午夜才回去。

在朋友眼中，這對形影不離、如膠似漆的情侶，應該很快就會步上紅毯的另一端。誰都沒料到，農曆春節的長假過後，在毫無警訊的情況下，竟告分手。

外人看不出的端倪，秋嵐自己卻心裡有數。兩人之間，雖然沒有過嚴重的衝突，但是小小的口角和摩擦，可從來沒有間斷。

當時，她心裡也以爲情侶相處哪會不吵架，就像吃燒餅沒有不掉芝麻的，但也不難察覺，感情過了熱戀期就慢慢變淡。白天出去各忙各的、晚上回來各做各的，雖不能說是貌合神離，沒有心靈互動及溝通，卻也是不爭的事實，最後連性愛的次數都歸零。往好處想，彼此就像家人般相處；往壞處想，雙方都只是習慣依賴而已。

由於秋嵐和元泰都是從外地來工作，農曆春節各自回家團圓，長假結束之後，竟很有默契地不再聯絡對方，元泰也沒有再來過秋嵐的住處。

剛開始，秋嵐還曾有過「怎麼連拜年的電話都沒有？」的念頭，而時間如指縫間流瀉的沙漏，空等幾天之後，她心中反而升起「這樣也好」的慶幸。

開工恢復上班，秋嵐把生活塡得很滿，又是學語文、又是健身房做瑜珈，幾乎忘了自己在幾天前還是個有伴侶的女人。

像秋嵐這樣的分手案例，完全符合「感情急凍」型的定義。朝夕相處的伴侶，以為會共度餘生，卻在一夜之間清醒，發現彼此並不適合，連說聲再見都覺多餘就形同陌路。不過，除了遺漏該有的感謝與祝福，這未嘗不是很好的分手方式。

仔細回顧過去，也不難理解「感情急凍」之後，為什麼很難再破冰。還不就是應了那句老話：「冰凍三尺，非一日之寒！」只不過溫度降得太悄然，讓相愛的兩個人都失去該有的知覺，以致於無從把知覺化為警覺。突然有一天，雙方冷靜想想，看見累積多時、聚沙成塔的障礙，就立刻打退堂鼓了。

能夠接受事實，在回歸單身之後，開展自己新的人生，還算是清醒而有智慧。最怕的就是感情急凍成冰，還不肯面對事實、或憤恨不平，破冰不成反而碎了心、傷了身，才是眞的不值得。

相愛的兩個人，若要避免走向「感情急凍」的分手，平日就應該保持愛情的恆溫。彼此願意多觀察細節，但目的不是要斤斤計較，而是要能理解、體諒，幫助彼此跳脫瑣碎，不為小事所困。多溝通、常交心，就不會因小小誤會沒有解決而漸行漸遠。

用單身懲罰負心

What About Love......

曾經有過刻骨銘心的感情，
非但沒有成為嚮往幸福的動力，
反而變成讓自己可以再愛一次的阻力，
難道真的是緣份用盡，愛神不再垂憐？

結束一段刻骨銘心的感情之後，若沒有修成正果，卻再也無法重新投入另一段戀愛，究竟問題出在哪兒呢？是因爲那段感情太過於美好，以致沒有任何一個人可以替代；還是因爲自己太傷心難過，舊傷始終未能痊癒，從此有了自我保護機制，不肯再投入任何人的懷抱？

「曾經滄海難為水，除卻巫山不是雲！」千萬種理由，都無法解說這樣難以釋懷的心情，但說穿了，不外乎是：太執著於過去，不肯再輕易相信愛情。

閩南語經典歌謠〈港邊惜別〉，歌詞內容所講述的，就是作曲家吳成家先生親身經歷的一段苦澀愛情故事。

當年他從日本大學文學部畢業後，留在日本發展歌唱事業，有一次胃出血住院，結識年輕溫柔的女醫師，兩人發展出異國戀情，並生下一個男嬰。無奈因爲雙方父母強烈反對，而無法結成連理。

返回台灣後的吳成家結婚生子，直到六十幾歲才有機會再度前往日本，見到這位守身未嫁的女醫師，也終於和自己的親骨肉重逢。闊別四十幾年後，他和女醫師坐在從前約會的咖啡廳，景物依舊，人事已非。

守貞，讓虛度半生的女人得到名節，卻付出了幸福的代價。別以爲這是老一輩才有的保守作爲，幾天前我才聽說一位同事的好友，也有類似的遭遇。不過，他在乎的不是名節，而是想藉此懲罰對方。他和女友相戀十年之後，因爲第三者介入而告吹。女友選擇別的男人，他深受打擊，絕口不再提起這個女孩的名字。他從此把愛情當成風花雪月、不切實際的事，即使有人熱心幫他介紹對象，都被拒絕。

曾經有過刻骨銘心的感情，非但沒有成爲嚮往幸福的動力，反而變成讓自己可以再愛一次的阻力，難道眞的是緣份用盡，愛神不再垂憐？

除了傷心痛苦之外，若未曾留意負面情緒的累積，造成的影響力亦不可忽視。有些多情人的潛意識裡，是想要用下半輩子的單身，懲罰對方一時的負心。問題是：為了報復而讓自己單身，通常懲罰不到對方，多半是苦了自己而已。

天下沒有哪一種幸福，可以用對方的愧疚交換而獲得。更何況，已經另結新歡的對方，還不一定會感到愧疚呢！如果單身的人犧牲年華、品嘗寂寞，就是爲了要懲治對方當年的負心，這樣做很划不來，效果可能適得其反。

單身，有單身的快樂！但若是爲了報復背叛者而單身，一輩子都不會眞正快樂。

愛情無法負負得正

What About Love……

相愛的兩人可以學習：
包容對方的缺點、欣賞他的優點；
但是，會不會有人刻意突顯對方的缺點，
只為了滿足一份想戰勝的感覺？

很難想像小柯這樣的男人會劈腿，不過大家解讀的方式不一。

在小柯女友丹鳳的眼底，他是個老實可靠到不行的男人，會有想偷吃的念頭，都教人不可思議了，更別說是付諸行動。

但是，在朋友的分析中，丹鳳的角度就過於「情人眼裡出西施」了，明顯偏袒小柯。因爲大家感到意外的，並非「小柯這麼老實可靠，怎麼可能外遇？」

而是「小柯條件這麼差，長得其貌不揚，經濟條件也不佳，除了丹鳳，怎麼還會有女人想跟他？」

這兩個觀點，乍聽之下，有點南轅北轍、互相不搭軋，其實講的都是同一件事。在愛情的市場上，小柯的確不是很有賣點，向來缺乏安全感的丹鳳，正是看清楚這個特質，才會捨棄許多帥哥的追求，而情有獨鍾選擇了他。豈料還是有競爭對手出現，跟丹鳳搶著要他。

話若說得不保留，的確有失厚道，卻是實情。條件差的男人，若要找外遇的對象，實在不乏條件比他更差的女人。無怪乎許多原配捉姦成功時，總是對引誘丈夫出軌的對象感到慘不忍睹——「我先生怎麼會愛上這個又肥又醜的女人？」在這個驚嘆的問句下，毀了自己僅有的自信心，突然升起「難道我條件不如她？」的另一種疑惑。

奉勸有此疑惑的男男女女們，在對方劈腿而你被辜負的傷心欲絕中，多點理性的思考。並非你的條件不如第三者，而是你的伴侶條件雖差，卻有能力找到條件比他更差的人發生外遇。

他所要追求的，不過是一種無聊而可笑的成就感，滿足自己征服的慾望——

「即使我條件不夠好，還是有人會看上我！」

這些懷抱著自卑想法而劈腿的人，或許能在短期之內獲得短暫的歡喜，卻沒有辦法因此而留住長遠的幸福。

因爲，愛情無法負負得正。相愛的開始，兩人可以學習包容對方的缺點、欣賞對方的優點；但是，絕不會有人刻意去愛對方的缺點、故意忽略他的優點，只爲了滿足自己內心一份想戰勝對方的感覺。

說得極端一點吧！就算有人眞心愛上外遇對象的缺點，例如：迷糊、愚笨、懶散、醜陋、骯髒、酗酒……這些缺點在兩個人結合之後，也不會相加相乘，成爲彼此共同生活裡的強項，頂多就是替雙方增添「五十步笑百步」的趣味而已。

當愛情發生於彼此的訕笑，也必然結束於衆人的恥笑。可見靠「負負得正」維繫的感情，都是不穩固的。

發現伴侶外遇的對象比自己條件更差時，姑且抱著「哀矜勿喜」的心情，自我檢討吧！看看問題是出在伴侶身上，他對自己太沒有信心；還是你給他太多批評，讓他對自己失去信心？

重新看待彼此的優點，不僅能重建信心，也是重拾信任的開始。

簡訊裡的魚腥味

What About Love......

伴侶偷腥到非常明顯的地步，
被辜負真情的這一方居然聞不出腥味。
為什麼癡情的人，總是最後才知道真相？
問題究竟出在哪裡？

現代人愛偷情？欠缺古今對照的數字比對，這個陳述未必具有說服力。但是，若是從現代人偷情時使用便利的通訊工具，比較容易被伴侶查獲的觀點來看，就比較容易理解了。其中，簡訊露餡的案例，又高於其他。

以我最近兩年來接獲投訴的經驗觀察，粗心的偷腥者，有很高的比例是因爲傳簡訊而事蹟敗露。發生在劍閔身上的糗事，應該可以算是傳奇。

通常，都是曖昧簡訊不小心被伴侶看到，導致東窗事發。劍閔卻是親手把自己偷情的簡訊，傳給正牌女友筱芹看。

或許，讀到這裡的你，猜到了正確答案。是的，他是一時疏忽誤傳，把應該傳給地下情人的簡訊，誤發到正牌女友的手機，平白無故給自己惹了大麻煩。

那則簡訊的內容如下：「親愛的，我好想喝妳煮的魚湯。今天下班過來，妳煮魚湯給我喝。」

筱芹收到簡訊時，非常納悶。因爲她從來不知道劍閔愛喝魚湯，而且他們從不在家開伙，都是在外面用餐，爲什麼劍閔會發簡訊說要來喝魚湯呢？他不是說最近很忙，幾乎天天要加班嗎？

筱芹想了半天，百思不得其解。想法很單純的她，直接打電話給劍閔，問他爲什麼說要來一起喝魚湯？

撥通電話的那一剎那，劍閔似乎非常緊張，只聽見他壓低嗓門，吞吞吐吐地說：「我在開會，待會兒再跟妳說！」兩個小時之後，他的聲音就鎮定多了。他不疾不徐地解釋，同事送給他一條魚，不知道怎麼處理，所以才發簡訊給她，提議晚上去她那兒喝魚湯。不過，剛剛主管說要趕進度，他覺得還是把魚送給別人比較好，今晚就不過去她的住處了。

旁人聽了，都判斷這是他編出來的謊言，偏偏筱芹還是選擇相信。直到下班前，她把簡訊拿給素有「大姊」之稱的同事看，信心才開始動搖。大姊很快下了結論：「難道妳沒聞到這則簡訊裡有很濃的魚腥味？」

伴侶偷腥到非常明顯的地步，被辜負真情的這一方居然聞不出腥味，最大的問題並非鼻子不靈敏、嗅覺太遲鈍，而是鴕鳥心態作祟。

但是，傻人也會有傻福。沒有在第一時間揭穿劍閔的謊言，就保留了他可以悔過改進的可能性。

對可能而尚未證實的偷腥行為，「有則改之，無則勉之！」的道理，同樣適用。只要對方還有愛與良心，他就會得到警惕而迷途知返。

萬一，對方無藥可救，成了愛情黃昏市場的逐臭之夫，喜歡流連忘返於不同魚獲的腥味之間，看清事實的你，也可以全身而退，免得惹了一身異味。

宿命是
被騙的幫兇

What About Love......

無論再聰明伶俐，
人總有糊塗被騙的時候。
為什麼有些人可以學得經驗教訓，
另一些人卻總是重蹈覆轍？

無意間成爲別人婚姻的第三者，淑綾的感覺盡是無辜。當時，對方並沒有對她坦承已婚的身份，等淑綾投入感情、甚至都發生過親密關係，才漸漸拆穿謊言。男方的惡性重大，讓淑綾愛恨交加，她一度還難分難捨，花了將近兩年說服自己，想盡各種辦法抽離，好不容易才結束這段不倫之戀。

事後，她竟十分感嘆自己的身世：「算命的老先生早說過，我就是做人小老婆的命！」好友麗琴非常同情她，還不斷追問：「眞的喔，那個算命先生好靈驗，在哪裡？我也要去找他算命！」幾個朋友知道後，都感到啼笑皆非。

宿命，常是被騙的幫兇。無論再怎麼聰明伶俐，人總有糊塗被騙的時候，可能是當時心情不好、身體微恙，導致生命能量降低，對誘惑失去抵抗力，未察眞相就輕易上當。

事後的追悔，若能連帶著檢討反省，學得經驗教訓，可以避免重蹈覆轍。最怕的是把一切錯誤推給命運，以「就是運氣不好！」、「命該如此！」來解釋，完全沒有檢討人為的疏失，就等於放棄該有的努力。將來，如果碰到相同的狀況，還是無法採取有效的對策，任人宰割、或蒙受損失之後，繼續以「命中註定！」安慰自己，卻束手無策。

麗琴的媽媽也有類似的經驗。她們去香港自助旅行，母女倆興奮地逛街採購，由於正逢假日，商場人潮擁擠，麗琴不斷提醒媽媽：「包包要小心喔，可能有扒手！」結果在搭地鐵時，媽媽驚覺皮包被尖刀劃開，所幸只是裝零錢的小皮包被扒走，證件和信用卡都還在。

兩人有驚無險地回到飯店，迷信的麗琴還是對媽媽說：「我上次幫您排過

紫微的命盤，從流年看就知道妳會漏財。」

媽媽畢竟人生經驗豐富，知道這些話可以用來安慰，卻不足以爲誡，她用激勵的口吻說：「要記取這個經驗，以後得更小心。只要多謹慎些、警覺性高一點，很多麻煩都可以避免。」

這是銀髮媽媽非常明智的表現。無論是金錢被扒、還是感情被騙，過度以「宿命論」的說法來解釋出事的原因，充其量只能掩飾當時的大意粗心，卻顯露了一直以來的漫不經心。

人生的成敗，七分靠努力，三分靠運氣。努力或運氣的比例，也許因人而異；但是，如果碰到不好的事，都只看成時運不濟，而忽略人爲該有的努力，進步的空間就很少囉。

反之，碰到不如意的事情時，除了悲憫自己運氣不好，也懂得檢討看看哪裡可以努力改進，把成功的因素掌握在自己手裡，挫折總會成爲過去，繼之而起的是更多的經驗與智慧，長留在心底。

你得了愛情健忘症嗎？

Q：請仔細觀察下列九張牌的花色和位置。

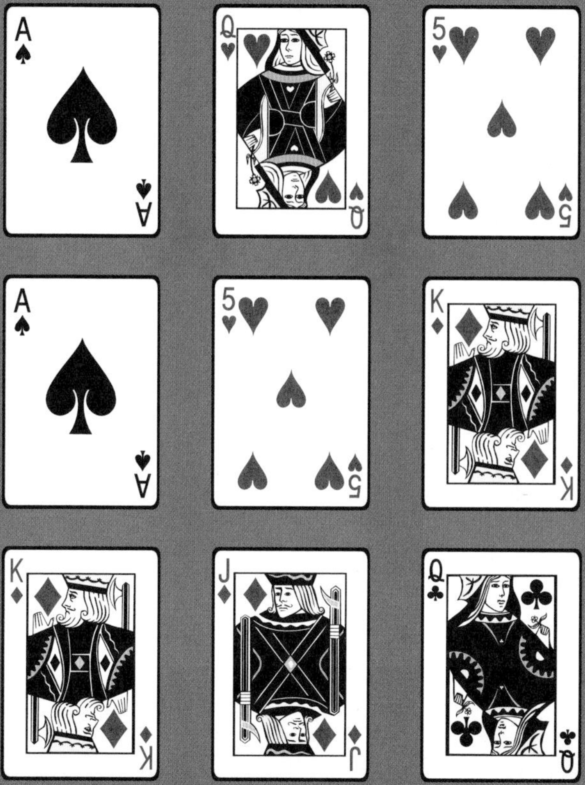

記起來了嗎？請把上方的撲克牌遮住，回想一下，花色相同的兩張方塊K是在哪兩個方格裡？

（答案請見下頁）

A：你答對了嗎？

若權的幸福通關密語

談感情久了之後，很多女人會抱怨：「我的男友（或丈夫），不像從前那麼愛我了！」原因很簡單，他忘了她的生日、兩人相識的週年紀念日、初吻紀念日、她的爸爸或媽媽的生日……

如果這個男人，本來就是個粗心大意、粗枝大葉、完全沒記性的人，基本上，女人至少會有兩個選擇：一是決定不要他；二是不跟他計較。倘若這個男人剛開始表現得很好，只是因為時間久了，漸漸忽略了從前他細心體貼時做過的事，就難怪女人會如此哀怨，甚至還無限上綱地把男人的粗心當作不愛她的證據。

男人不要只顧著喊冤，說自己每天好多事要忙，沒辦法有這麼好的記性。與其靠「記性」，不如靠「記錄」，拿出筆記本，仔細記錄所有的戀愛大小事，才能確保幸福不會悄然流失。

■ PART 7

對分手讓步，自己才會進步！

或許，讓感情施展到收放自如的地步，
我們永遠都無法學會；
但至少可以練習在每一次的收放之間，
對自己、對別人都更加寬容，讓彼此的世界都更加開闊。

好聚好散，才能長留祝福

倒
沒想到，
椅子一倒下竟變身為天神。
是我的，
臭女人！
牠是我的!!
照顧我前男友這個大小孩
那麼多年，還被嫌東嫌西，
我得好好休息一下，我要
去環遊世界。
親愛的主人！
我可以實現妳一個願望。

那我也可以許願吧？！
叮！
環遊世界機票
我想要女人！！被我前女友這個管家婆唸這麼多年，快煩死了。我想抱著比我年輕三十歲的女人！！
親愛的主人！我也可以幫你實現一個願望。
叮！

找一百個藉口不分手

What About Love......

當感情走到苟延殘喘、無以為繼，
甚至連自己都看不起自己的時候，
很多執著的人，還是繼續賴著不走。
如何斬斷情絲，瀟灑地離開？

爲愛痴迷，是個大問題。不分男女老少，任何人都有可能爲了愛情做些傻里傻氣的事。

只要自己付出得心甘情願，對方也很能享受這份幸福，都還算是浪漫的經驗。最怕的是，只有單方面的沉溺，對方根本不珍惜，還要一廂情願地討好他；自己解釋成「為愛痴迷」，感覺很浪漫，其實痴迷的並不是愛，而是自己的執著，因為愛老早已經不存在。

已經說過不下十次要跟男友分手，瑪麗卻還是讓感情留在原地。每回碰到朋友，她就會主動談起愛情中的點點滴滴，九成以上都是她對男友的疑惑、不安、甚至灰心……每個聽完她故事的朋友，都忍不住以客觀的立場對她說出同樣的結論：「既然這樣，妳還是跟他分手吧！」

瑪麗聽了總是驚訝地說：「是喔？你怎麼會這樣建議？可是，你不覺得我們還有很大的發展空間嗎？」沉浸在體質不好的感情，就好像靠吸食迷幻藥才能活下去的人，明明知道傷害自己，卻無法自拔。

朋友們不可置信地看著她，總覺得她是不是有點「頭殼壞去」？成績很爛的學生，的確有很大的發展空間，問題是他要不要求長進，才是重點呀。

瑪麗的男友偷腥成性，過往的前科不算，最近這半年多以來，已經被她抓到過三次，爲了息事寧人，他習慣表現出好像很誠懇的態度，骨子裡卻是一成不變。感情對他而言，只是下午茶吧台上的蛋糕甜點，純粹爲了休閒氣氛，既能玩樂、又能填飽肚子就好，不求健康養生概念，也沒有長遠規劃。

除了偷腥之外，瑪麗的男友還有許多缺點，自私、懶惰、不體貼、欠缺理

財觀念，住處髒亂無比，還欠了很多錢。

這樣的男人究竟有什麼好眷戀呢？針對這些問題，瑪麗的回答總是：「可是我們都在一起這麼久了，說斷就斷，不是太可惜了嗎？」

遲遲不肯分手，欺騙自己的藉口，可以有一百個。要能斬斷情絲，眞正可以說服自己的理由，只會有一個：不想在這個人身上，繼續浪費自己的青春生命時，就一分鐘也不會停留在他身邊。瑪麗所缺少的，就是這樣的覺悟。

從表面上看起來，她好像是對自己的年華太有信心，才勇於在明明知道不適合自己的對象身上，不計得失地揮霍；深入一點了解，就會知道事實正好相反，她是對自己太沒信心了，怕離開這個男人之後，無依無靠，所以不管他再爛，也願意守在他身邊。

就像牌桌上的賭徒，若沒有其他一技之長，輸光了以後還是會流連在賭場，因爲他認爲：自己只能靠著再賭一把來翻本。對自己有信心的賭客，則願意認賠了結，離開牌桌，靠別的本事東山再起，因爲他知道：痛苦一陣子，可以換來下半輩子的幸福。

主動分手
是為了負責

What About Love.....

確認愛情走不下去的時候，
能夠主動提出分手，是很負責的態度。
相對地，不肯面對現實，怕背負負心罪名，
勉強在一起，又能撐多久？

好端端地沒事，秋菱想過個閒適安憩的週末，沒想到竟接到男友浩庭的簡訊，只有短短一句話：「深思熟慮後，我想對妳提出分手的請求。」個性沉靜的秋菱，很少出現歇斯底里的徵狀，但這封簡訊還是攪亂了她的思緒，平靜的心湖掀起陣陣漣漪。

幾天前，浩庭說要嘗試一個人獨自旅行。向來給他很多自由的秋菱，沒有

多問就答應，還幫他準備私密的旅行用品，包括：用後即丟的紙內褲和刮鬍刀。眞是完全沒料到，兩人之間的感情，也在他啓程沒多久之後，得到「用後即丟」的結果。

處事態度十分內斂的秋菱，忍住悲傷與錯愕，回覆簡訊問道：「是什麼原因，有第三者嗎？」浩庭很快回應：「沒有特別原因，也沒有第三者，妳不要亂想，只是我自己很沒勁。」基於多年相處的理解，秋菱相信他，也接受他的要求，兩人不再聯絡，結束這段感情。

秋菱的好友聞風而至，想盡辦法安慰她，衆人異口同聲大罵：「這男人眞是不負責任！」只有我獨排衆議：「無論什麼原因，主動提出分手，都是負責的表現！」女性朋友聽了都產生誤會，以爲我同樣身爲男性才護短，我只好拿出更大的耐心，好好說明。

無論想要分手的眞正原因是什麼——有第三者出現、自己見異思遷、感覺兩人不適合再走下去、家人有反對意見……當發現愛情有了些微的質變，自己沒有繼續走下去的勇氣與信心，導致兩人無法像從前那樣心無旁騖地在一起，能夠主動提出分手，是很負責的態度。

人生就像精美的水果禮盒，愛情是其中的一顆蘋果，當發現蘋果長了蟲，就必須拿出膽識，立刻忍痛割愛，才不會拖延時間，殃及其他的水果。

相對地，有些人明明發現自己心不在此，還一味地粉飾太平，甚至刻意擺爛，爲了避免背上「負心」、「背叛」的罪名，試圖讓對方受不了之後選擇離開，以求自己全身而退，這種縮頭烏龜的做法，才是很自私的。動機並不在於捍衛愛情，而是保護自己。

只要是深深愛過的兩個人，面對分手，誰都不樂見！但是，**逃避總不是辦法，就像投資買股票，當行情低盪跌落至設立的「停損點」，就要認賠了結，願意心平氣和接受事與願違的結果。看起來好像損失很多，實際上卻是另一種收穫。**

至少，彼此都沒有爲了面子問題，浪費青春與時間。轉身之後，人生還有更長的路要走，只要對自己有信心，總會有更多幸福在前方等候。

別讓他 慶幸離開你

What About Love......

讓沒能開花結果的感情逝去，心不必跟著死去。
用挫折當養分，改變栽植的方式，
把受傷的心經營成為沃土，
就會有新的玫瑰，重新綻放嗎？

當初說好因個性不合而理性分手，不料事隔兩星期，郁芬愈想愈不甘心，起初用MSN、後來以簡訊聯絡，眼看毅平都沒有積極回應，甚至不理不睬，她乾脆直接打電話。郁芬開口第一句話，就是質問他：「你是不是早就另結新歡了？否則爲什麼都不理我？」毅平好聲好氣地解釋：「真的不是像妳想的那樣，我只是希望彼此都能平靜下來，至少短期之內不要再聯絡，等雙方都能重新開始過單身的生活，也許還可以做朋友……」

還沒等毅平講完，郁芬在電話彼端就歇斯底里地哭鬧起來，斷斷續續說著其實無意義、卻都令人不開心的話，諸如：「你這個死沒良心的男人！」「你怎麼可以這樣對我？」「我早該知道自己被你騙了。」「你這樣做不會有好結果的。」「我就是想詛咒你，那又怎樣？」「你等著看吧，我一定會報復你的。」「我不會讓你有好日子過。」……

面對郁芬發洩不完的負面情緒，基於曾經相愛一場，充滿同情心的毅平，本來還耐住性子，傾聽她的痛苦，直到她愈講愈離譜，他終於也動了氣，掛掉電話，而且不再接聽。

那一刻開始，毅平突然覺得好輕鬆。是郁芬的行徑，讓他更加速放下一切牽掛，並且強烈爲自己慶幸。還好及早發現彼此個性不合，提出分手的協議，否則再拖個幾年，當感情投入愈多之後，很可能會離不開她，或者屆時要再分手，都會比現在困難很多，痛苦更是加倍。

不論被辜負的一方，內心有多少不甘，若在分手時發洩負面情緒，只會讓自己在已經無情的人面前顯得更加不堪。

分手，的確不是簡單的事。能含著眼淚、帶著微笑，彼此祝福，是最高境界；可以做到這個層次的戀人，少之又少，不能強求。但是，至少應該做到口不出惡言、未經同意絕不打擾，這不但是最基本的禮貌、也是分手時必備的心態。

讓沒能開花結果的感情逝去，心不必跟著死去；只要確認自己的心，仍是一塊肥沃的土地，願意改變栽植的方式，總有一天，會有不同品種的玫瑰在這裡盛開。

最壞的情況是自暴自棄，感情沒了、工作丟了、人生毀了，任由心田荒蕪成爲廢土。多年以後，當初曾經相愛過的人路經於此，對方都已經完全無法辨識眼前的頹敗，竟是他當年所深深愛過，只能形同陌路地擦肩而去。

就算他最後終於認出來了，應該也會慶幸自己，那時候明智地做出選擇，早早離開，才沒有落得如此蒼涼的下場。

看清這個現實，就不要讓眼淚繼續掉在分手的地方，因爲鹹鹹的淚水無法滋潤心田，只會讓已經風乾的玫瑰發霉。微笑面對傷心的背影，讓它漸行漸遠，消失在回憶的地平線。然後，努力想像十年後的自己，眼前這些必須廢棄的情感，就變成肥料與養分，重新播下幸福的種子，預約另一個春天來臨。

Love

趁早割除
感情的腫瘤

What About Love......

「被分手」的受創程度及療癒難易，因人而異。
有時候是動個小手術，當天就可以出院；
有時候是一次大手術，存在攸關性命的風險。
如何把手術的風險，降到最低？

因爲工作性質的關係，我常要使用隨身碟，將顧問工作或授課演講時要用的資料，從筆記型電腦的硬碟複製出來。有一天，當我隨手將隨身碟從ＵＳＢ插槽拔出的時候，網路工程師正好經過我的座位，全程目睹之餘，他發揮了熱心善良的本性，很謹愼地對我說：

「雖然ＵＳＢ的設計，是要方便電腦使用者，可以將隨身碟即插即用，但是拔出時要跟電腦知會一聲喔，以滑鼠指標對著圖示按右鍵，直到電腦畫面出現：『可以放心拔除硬體』的訊息時，才能將隨身碟卸除，否則資料可能毀損。」

儘管曾在科技業工作十幾年，疏離一段時間後，對這些日新月異的技術還是有點陌生。經過他的指示，我才恍然大悟，平常對著電腦胡作非爲，它都安然健在，沒出差錯，是自己運氣好，並不是能力高。環顧身旁很多朋友的電腦或隨身碟，經常當機或故障，應該都是沒有按照正確方式操作吧。

拔除隨身碟要知會電腦！呵，這讓我想到網路上流傳很廣的一句話：「分手，是一門藝術；被分手，卻是一次手術！」許多毫無預警就不告而別的愛情，破滅時應該就像電腦突然被拔除隨身碟那樣吧，以為只要趁對方不注意，悄悄離開就沒事，卻在無意間造成資料或硬碟的毀損，修理起來十分麻煩。

有過類似經驗的朋友們，聽我做了這樣的比喻，臉上露出很苦的笑容。他們曾經主動或被動地經歷過，突然以「手機簡訊」或「ＭＳＮ」遞送或得到愛情已經告終的消息，被分手的那一方都心碎不已。

無論感情維持的時間或長或短，真心付出的結果，換來的竟是如此輕率的分手方式，難怪反應很兩極，不是十分不甘心、就是覺得自己很不值。當然，更

常見的是，兩種心情兼而有之。

「分手，是一門藝術；被分手，卻是一次手術！」這句話說得很有道理，受創程度及療癒難易因人而異。

有時候「被分手」是小手術，當天就可以出院，靜養之後，很快地恢復生龍活虎；有時候「被分手」卻是大手術，存在攸關性命的風險。

想提出分手的一方，必須謹慎處理，得到對方諒解，才能將傷害降到最低。而被分手的這一方，面對壞死的感情，應該抱持「割除腫瘤後，才能永保安康！」的心態，勇敢接受這次手術。

重症懂調理，久病成良醫。在感情上受傷愈深的人，更是責無旁貸地要讓自己盡快痊癒。別忘了，按下心中的滑鼠，告訴自己：「情緣已盡，一切都過去了！」讓你的心湖恢復平靜，猶如電腦螢幕上出現的那排小字：「可以放心拔除硬體。」不用關機、不必重新啟動，人生還是可以好好繼續下去。

分手時需要的測速器

What About Love......

做不成戀人，還可以做朋友嗎？
分手後的友誼，如何拿捏分寸？
好意該放在心底，還是表達徹底？
分手多久，才能真正忘記？

離開一段感情，你用了多少時間？一分鐘、一個星期、一個月、一年、十年……喔，別告訴我，你用了一輩子！至少，你的一輩子還沒有過完，你怎麼知道自己不會在下一刻，就忘掉對方？

聽廣播節目，有個很癡情的男人Call in進電台。幫自己取暱稱爲「凱文」的他，說自己和女友分手八年了，始終忘不了她。每年當她生日的時候，他還是會

買蛋糕、寫卡片，親自送到她家。不過，都不是她本人到門口接受禮物，而是她的母親代勞。她的母親總會慈祥地說：「謝謝你喔！」但是，沒有請他進去坐、也不曾提及她的近況。

想必凱文的故事讓很多人感動，我的體驗則比較特別，竟是毛骨悚然。我常聽說這樣的例子：分手之後還想像往常那樣對待不想再繼續愛的那一方，即使聲稱「我不是糾纏，也不是爭取復合，我只是做我應該做的……」站在另一方的立場著想，我還是覺得這叫「陰魂不散」！

恕我直言，感情的世界裡，一廂情願的付出，不只到最後會變成一廂情怨，自己覺得很不甘心，也會成為對方的困擾、甚至是夢魘。從另一個角度看，也會影響到自己日後的感情發展。

例如：身爲凱文的現任女友，該如何看待這件事呢？肯定他是個癡情的男人，還是吃醋、生氣，跟他大吵一架？根據凱文在廣播中的現身說法是：「我的現任女友，常懷疑我跟前任女友究竟分手了沒有？」語氣還有點沾沾自喜呢！

我不知道凱文眞正的想法是什麼，也許他只是單純覺得：「就算分手，還可以當朋友吧？」但是，分手後的友誼，更需要拿捏分寸，很多好意可以放在心底，不用表達得太具體。否則，付出再多都會顯得有點自私，好像你只求對方無論分手多久，都不要忘記你。然而，這樣的惦記，又有什麼意義？

處理感情事件，無論是哪一方做出分手決定，當下另一方就被判出局。因爲愛情是必須兩個人都心甘情願，才能在一起。接受對方的決定，讓分手成爲事實，的確需要一點時間，長短也因人而異，可以是一分鐘、一個星期、一個月、一年，但最好不是十年、也不是一輩子。

面對分手，每個人都需要一台測速器，用來自我監控。離開感情的快慢並沒有絕對的標準，最怕的是靜止在被拋棄的原地，完全不動。別忘了，除了速度、還有姿勢，揮手後優雅轉身離去，絕對比痴痴戀戀、死纏爛打，更能被對方感謝、記憶。

用放大鏡看缺點

What About Love......

就算態度再謹慎、付出再多感情，
難免遇人不淑的時候，
有沒有療癒情傷的特效藥，
可以幫助被辜負的人，早日康復？

經營友好的人際關係，的確應該用放大鏡來看對方的優點、用縮小鏡看對方的缺點。但是，這個道理用在感情上，則未必全部都說得通。至少，在戀愛前、分手後，應該反其道而行，用放大鏡來看對方的缺點，做法上雖然有點自私，卻對雙方都比較好。

寰宇追求媞娜的方式很特別，告白信中寫了三十幾項自己的缺點，例如：

「常因爲賴床而遲到」、「有時愛耍孤僻」、「存款不到二十萬」、「開車技術不夠好」、「喝醉酒時胡言亂語」、「睡覺會打鼾」……當然最後他還是很努力地爭取，寫了一句會打動女生的話：「我唯有的只是一顆癡癡愛妳的心！」抱著視死如歸的心情，等著看自己逆向操作，會有什麼結果。

媞娜收信之後，認眞考慮了三天，才接受寰宇的追求。不過，她也很理智地告訴寰宇：「除了最後那句話，我持保留態度，等著用時間來證明之外，你信中寫的所有缺點，我都相信、也都接受了。」個性俏皮的她，還不忘追問：「缺點只有這些嗎？如果被我發現其他的缺點，加重處罰喔！」

兩人相處三年多下來，媞娜覺得很慶幸，寰宇果然是個自我察覺力很強的男人，他的缺點眞的就是那三十幾項而已，決定交往之前，她已做過心理準備。甚至，有些缺點是寰宇自己看得太嚴格了，眞實的情況並不嚴重。譬如，「睡覺會打鼾」，只是他當天很累的時候，睡覺才會有一點鼾聲，並不嚴重，習慣了的媞娜，還覺得有點催眠效果呢！

情人之間，需要用放大鏡看對方缺點的另一個時機，是當對方已經無意延續這段感情、或因為劈腿而必須分手。這時候，放大對方的缺點，有助於自己斷念、

死心，免除無法割捨感情而沉淪於痛苦中的牽絆，對雙方都好。

分手後，拿放大鏡檢視對方的缺點，可以用來療癒情傷。雖然，它缺乏積極的建設性，並不是療效最好的方式；但是，對於執迷不悟、賴在原地的被辜負者來說，是個值得嘗試、練習的方式。用「及早離開一個不值得愛的人」來勸勉自己，可以讓情傷恢復得比較快。

除了戀愛前、分手後，其他相處的時光，就請把放大鏡收起來，不要再拿來看對方的缺點。如果非要拿放大鏡來看，就請看對方的優點。這不只是彼此該有的相處之道，也是戀愛時善待自己最好的方法。聰明的你，何必拿對方的小缺點來折磨自己、傷害感情呢？

熟能生巧
說分手

What About Love......

分手之後，究竟要心痛多久，
才能夠忘記過去，找到下一段戀情？
往哪些方向努力，
才能讓處理感情的分寸更加成熟？

近來常常請假的孟璇，這天又不想上班了。打開筆記型電腦，透過網路連上公司人事部門的頁面，她開始辦理請假手續。

五年前，她從日本學美術設計回來，進入這家網路公司工作，從基層做到設計部門的小主管，已經三十出頭了，還是跟小她七、八歲的男女部屬混在一起。大概是從事這份工作的關係，彼此身上都有些率真的藝術家性格吧，大家相處得十分投契，孟璇也因而忘了自己的年紀。

直到最近，她和剛認識不到半年的男友分手了，發現自己已經老到很難承受失戀的打擊，三天兩頭就覺得人生無趣，連她非常熱愛的設計工作，都無法吸引她提起勁走進辦公室。

這天醒來，她的「失戀憂鬱症」又復發了，完全不想上班，只想躲在被窩裡，哪兒都不去。幸好她的筆記型電腦夠輕薄，在床上都能上網，直接用手指就能點選假單，輕鬆辦好請假手續。只不過，當她在線上發現自己的年假已經用完了，心情頓時更加沮喪。

她打開網頁上「休假種類」的「下拉選單」，仔細核對選項，包括有：「病假」、「事假」、「公假」、「婚假」、「產假」、「年假」、「喪假」，還有強調人性化管理的公司才有的「生日假」……從頭看到尾，就是沒有一個她適用的「失戀假」，更覺得天地不仁，竟沒有給心碎的人多點寬容的空間。

打電話給朋友訴苦，朋友笑她：「滾回日本上班好了！」因爲日本有家公司，可以容許員工在失戀時請「心痛假」，而且依照年紀不同，給假的天數也不一樣。二十四歲以下，失戀時只能請一天「心痛假」；二十五到二十九歲，可以

有兩天「心痛假」；三十歲以上則可以請三天「心痛假」。老闆的理由是：「年輕女孩失戀，可以很快找到新戀情；但年紀愈大的女人愈困難，分手的打擊比較嚴重。」

經朋友這麼一說，孟璇突然很懷念從前在日本讀書的年輕時光。但對她這種常失戀的女人來說，公司給再多「心痛假」也不夠用。

如何治療失戀、避免失戀帶來的創傷呢？專業心理醫生王浩威給了建議：「多談戀愛；多練習分手！」很多男女只擷取前半段忠告：「多談戀愛」；卻忽略了下半段建言：「多練習分手！」談戀愛的次數雖多，卻不見得每次都有好好「練習」分手。如果感情走到盡頭，分手後都以逃避現實的方式處理，甚至躲在家中不肯正常過活，無論換過多少情人，歷練還是不夠。

處理感情的事，的確是「熟能生巧」。然而，「熟」的意義應該是指：「次數、經驗到達某個程度之後，心智成熟導致技巧圓融。」而不只是單純的「動作熟練」！畢竟，談戀愛、鬧分手，並不是肢體的操練，光有動作不用腦，是永遠都學不會的。更何況，就算是練體操、打棒球，也都需要手腦並用，才能有完美的表現。

為分手感到心痛，在所難免！問題是，如何學會自我療癒，這才是戀愛結束後最大的收穫。分手之後，心痛多久？不該決定於多快能找到下一段戀情，而是透過反省與思考，更認識自己的脆弱、了解互動的模式，讓處理感情的分寸更加成熟。

或許，讓感情可以施展到收放自如的地步，我們永遠都無法學會；但至少可以練習在每一次的收放之間，對自己、對別人都更加寬容，無論在一起或分手，彼此的世界都更加開闊。

感情只是一根柱子

What About Love......

感情，是生命中的一根柱子，
可以拿它來「獨挑大樑」嗎？
人生中，還有其他不同的柱子，
如何彼此平衡，發揮支撐的力量？

人生，不能沒有愛情；但是，人生也不能只有愛情。如果，把人生比喻為一幢房子，它需要很多不同的支柱，每根支柱還必須維持平衡，才不會房倒樓塌。當每根支柱都穩定，人生這幢房子的幸福樓層，才有可能愈蓋愈高。

美食，是瓊安生命中很重要的一根柱子。在她談戀愛之前，很喜歡親手烘焙小餅乾，分給親戚、朋友、鄰居品嚐，只要吃過這些餅乾的人，都會難忘其中的美味。勤快的瓊安，也總是不負衆望，幾乎每個週末都會動手做餅乾，滿足大家的口腹之慾。

直到瓊安戀愛之後，親友就很少吃到她親手烘焙的小餅乾了。剛開始，她只做給男友吃。一方面她眞心想討好他，讓他有「獨家專享」的禮遇；另一方面，也因爲他占有慾很強，不希望別人分享。加上戀愛、約會要花很多時間，有時候週休二日出遊，從早玩到晚，實在沒有時間做餅乾。

漸漸地，大家都在問：「瓊安啊，什麼時候才能再吃到美味的餅乾？」

她總是歉然地說：「最近眞的很忙！」

隨著熱戀延展，瓊安疏於烘焙技巧的時間也逐漸拉長。當她路過麵包店，聞到飄過鼻尖的味道，「溫故」而未能「知新」的感覺，似乎和已經變得陌生的自己一樣，令她突然感到心酸。

幾個月之後，瓊安的戀愛遇上瓶頸，男友以「個性不合」爲由提出分手。心碎的她，下班後幾乎足不出戶，把自己封鎖在悲傷的情緒裡，整天以淚洗面。有一天，阿姨打電話來問一個餅乾配方，她才發現自己對於曾經最熱愛的烘焙，已逐漸淡忘。

好友們發現瓊安長期躲在頹圮的愛情城堡裡，都很想拉她一把，紛紛前來關心她，希望幫助她走出荒涼。起初沒什麼效果，瓊安一概以「不用啦！」「我想一個人安靜一下。」「我需要時間休息。」爲由，回絕了恢復正常生活的可能。貼心的好友想出另一個絕招，找上門來要跟她學做小餅乾。三推四拖的瓊安，最後拗不過好友的請求，不得不打起精神來，搬出從前的烘焙筆記和器具，重新溫習過去簡單卻豐富的自己。

當熟悉的烘焙味道，又從廚房的烤箱飄出，淚眼婆娑的她，才領悟了這個道理：感情只是生命中的一根柱子，不能拿它來「獨挑大樑」。

人生中，還有「友誼」、「興趣」、「工作」、「親情」……等，每根柱子都可以有支撐的力量。如果，有一天發現感情這根柱子，被白蟻腐蝕了，必須趕快移除它，不能放著讓它爛。否則，白蟻很快就會蔓延到其他支柱，使其遭受波及，影響生活的平衡感。

只要其他的支柱都很穩固，暫時少掉感情這根柱子，並無大礙。最重要的是讓自己的生活平穩，並願意耐心等待，總有一天會有另一根更堅固的感情柱子來取代，支撐起更多的幸福。

你能透析追求者的謊言嗎？

Q：小真有三個追求者，都是聰明絕頂的年輕人。但其中有兩個人卻聰明過了頭，喜歡捉弄小真，只有一個人既聰明又老實。有天小真來上班時，發現辦公桌上放了一束漂亮的玫瑰花，她狐疑地分別詢問三個追求者，三個人卻都不約而同回答是自己送了玫瑰花，另外兩個人在說謊。

追求者A說：「追求者B說謊。」
追求者B說：「追求者C說謊。」
追求者C說：「追求者A和B都說謊。」
到底這三個人，是誰送了玫瑰花？

（答案請見下頁）

A：你答對了嗎？
玫瑰花是追求者B送的。

由故事中的情境推理，只會有一個人送花（說實話），由這裡可以做出判斷：

1. A的話牽制B
2. B的話牽制C
3. C的話牽制A與B

假設1：A說的是實話

可推論B說謊話，C則說實話。那麼在此假設裡，A又說實話、又說謊話，因此不合邏輯。

假設2：B說的是實話

可推論C說謊，則可能出現三種情形：（1）A、B都說實話；（2）只有B說實話；（3）只有A說實話。但（1）、（3）的狀況都有矛盾，只有「B說實話」的第2種情形成立。

假設3：C說的是實話

可推論AB都說謊。此時A又說實話又說謊話；若B說謊，則A又說實話又說謊話，此假設不合邏輯。

若權的幸福通關密語

愛情，是一齣浪漫的推理劇。所有的甜言蜜語，未必都能找到足以參考的具體證據；相對地，所有的謊言卻都可能留下蛛絲馬跡。

花前月下，說「我愛你」的時候，即使對方用懷疑的語氣說：「真的嗎？你發誓，會愛我很久嗎？」只會被當成打情罵俏，讓彼此的關係更加親密，不會因為小小的質疑就鬧到兩人必須分離。當感情生變以後，過去曾說的「我愛你」，都變成諷刺的語言、或說謊的證據。「如果你真的愛我，怎麼可能做出這些對不起我的事！」受傷的情人大聲抗議，做錯事的這一方欲辯已忘言。

人生無常，愛情多變。把握當下，接納事實。有時候，層次清楚的分析，有如剝洋蔥般，令人容易流淚。並不是悲傷，而是了然。

吳若權 ERIC WU 與你的幸福交集

專業的交集

畢業於政大企管系的吳若權，曾經任職於 IBM、HP（惠普）、UFO、Microsoft（台灣微軟）等公司，是資訊界極受信賴的資深行銷企劃主管，曾負責HP電腦工作站、Microsoft Windows及Microsoft Office電腦軟體等行銷專案，為台灣資訊科技業提出許多創新的行銷企劃構想，成為業界標竿。

創作的交集

吳若權多年來積極投入各種形式的文字創作，包括歌詞、散文、小說及行銷管理書籍，已經出版八十本著作，經常榮登各大暢銷書店排行榜，更連續十年被金石堂書店評選為台灣最暢銷作家之一。小說作品《摘星》除改編為網路動畫影片，更改拍成電視連續劇。

媒體的交集

吳若權曾主持許多廣播〈中廣、飛碟、台北之音〉與電視節目〈中視衛星、三立都會台、中天娛樂台等〉，目前則應富邦文教基金會之邀，主持中廣流行網「媒事來哈啦」節目，樂於與聽眾、觀眾分享人生不同階段的心靈成長，成為大家眼中的生活導師。他同時也是商業機構及公益團體的最佳代言人，拍過「預防老人失智症」「陽光基金會關懷顏面傷殘」「門諾醫院長青社區」「Daikin日本大金空調冷氣」「寶島眼鏡」等廣告。

網路的交集

在網路上，你也可以遇見吳若權：

吳若權時報出版官方網站「若是有緣」
http://www.readingtimes.com.tw/TimesHtml/authors/ericwu/

個人網誌「吳若權@若有所思」
http://www.wretch.cc/blog/eric599

吳若權 ERIC WU 創作生涯全記錄

陪你品嚐幸福的滋味

幸福主張

《讓步，才會更進步！》《做感情女王，別做戀愛女僕！》《劈腿心理學》《男人心，迴紋針》《每段感情，都是幸福的記號》《懂得付出，才會幸福！》《因為不一樣，愛得更堅強！》《 戀家，才會戀愛！》《愛過流星》《愛情左岸》《選擇幸福，其實你可以》《抓住你要的幸福》（時報）《新 LOVE 學一多點理性，更浪漫》《鰻魚的願望》（圓神）《因為你，幸福近在一釐米》《愛在魚水交歡時》《愛得更簡單！》《你就是我的 100 分》《誰能讓男人付出真心》《愛來愛去》（方智）《哪個男人不偷心》《多情男人愛流浪》《愛要有點乖有點壞》（皇冠）《愛情只是極短篇》（元尊）《愛戀 e 世紀，因為有你》（時報，絕版）

勵志泉源

《相依》《開運之前，先開心！》《從草莓變荔枝》《好人，也該擁有好人生》《培養感性的能力》《幸福月光》《打造自己的幸福》（時報）《遇見你，我更懂自己！》《發現謙卑的力量》《甘露與淨瓶的對話一聖嚴法師開示，吳若權修行筆記》（圓神）《更愛明天的自己》《尋尋 MeMe，贏得自己》《開拓生命的寬度》《創造自己的價值》《站在有光的地方》《栽培自己》《過得好，因為我值得》《明天永遠值得盼望》《上班何必受委屈》（方智）《自己打造金湯匙》《其實，我這麼努力》（天下）《原我》（希代）《媒事來哈啦》（富邦文教）《啟動心靈程式》（時報，絕版）《活出生命能量》（時報，絕版）

心靈點滴

《起飛之前，先學降落》《最簡單的，最難得！》《擁抱幸福的自己》（圓神）

影音饗宴

《3 個夏天》《冬季到台北來看雨》《蛋糕核桃燒》《畢業旅行》《摘星》（圓神）

小說長廊

《下雨天裡的松風聲》（時報）《寧願，愛短短的就好！》《歡唱悲歌》《愛過，總比沒愛好！》（圓神）《你知不知道我好愛你》（方智）《愛情，最幸福的信仰》《好想打開愛情箱子》《愛一次也好》（皇冠）《愛是一生的功課》（希代，絕版）《超人氣戀愛講座》（幼獅）

企管智囊

《衝出人生好業績》（先覺）《你可以賣得更好》《行銷的 20 種玩法》（遠流）《點行銷的燈》《摘行銷的星》《開行銷的窗》（哈佛企管）《管理心主張》《行銷金配方》（商周）《讓你更有 Mail 力》（博碩，與林宏諭博士合著）

音樂映象

「3 個夏天」「 戀雨」「 幸福相隨」「 愛你，是我的權利！」「 來去自如」「 冬季到台北來看雨」「 愛得越久越寂寞」「 久別重逢」「 我的心停不下來」「 雨過心晴」「 聽風的歌」等數十首歌詞寫作；以及「漂浮咖啡館」專輯

吳若權
ERIC WU
作品集愛情精選

教你發掘戀愛的天賦

定價◎二五〇元

做感情女王，別做戀愛女僕

愛情真相，有點殘酷；看清楚才會有幸福！

是男人太壞？還是女人太乖？真情？假愛？傻傻分不清楚！擺脫公主病、女僕症，做個充滿自信的女人，你也能在他的心上 Long Stay ！

在愛情裡，你都是扮演什麼角色？是充滿自信的感情女王？裝傻、扮可愛的公主？還是委曲求全的可憐女僕？你的感情態度，決定了幸福的深度！吳若權提醒你，要真的足夠了解自己，也要真的用對相處方式，才能為幸福加分！ 50個抓住幸福、聰明戀愛的忠告，幫助你在感情世界裡，做個有自信的主人，不只活得精明，還能愛得聰明！

定價◎二五〇元

劈腿心理學

獨家探討・完整解析「多腳化愛情」之兩性專書！

史上最精闢的劈腿學說，精準解析劈腿與外遇的成因、預防、處理與療癒；讓只想專注於一份愛的你，學會捍衛自己的幸福主權！

現代男女喜歡多「腳」化經營愛情的原因為何？男人和女人的劈腿策略有何不同？不論是自己的戀情出現了第三者、或是自己介入別人戀情成為第三者，又要如何看清自己該做的選擇，或是找到療癒之道？吳若權藉由理性的分析、敏銳的觀察和感性的愛情故事，帶領你一起面對劈腿的現況與真相，希望有助於多情男女改善相愛的品質，走出擁擠喧嘩的鬱悶，還給幸福更寬闊的世界。

定價◎二三〇元

男人心，迴紋針

直指男人心；最懂女人心！

女人心，海底針！令人摸不透。男人心，是迴紋針！看似迂迴，打直了就是一根腸子通到底。了解它的基本功能，能夠夾住重要文件，也能折成一顆愛心；善用它的附加價值，可以在網路上換來別墅，也能創造一輩子的幸福。

男人的心，就像迴紋針，具備金屬材料所有簡單、溫柔、堅定的本性。女人想激發壞男人的好特質，只要善用它正向的特質，多給予肯定、尊重及信賴，就能攜手登入幸福殿堂。吳若權為你解析看似迂迴剛強、實則坦率柔軟的男人心，讓想要瞭解男人的女人、希望改進自己的男人心靈相通，以愛彼此激勵。

吳若權作品集㉒

讓步，才會更進步！

作　者—吳若權
主　編—郭玢玢
編輯協力—王俞惠
插　畫—巧可
美術設計—許巧琳
專案企劃—艾青荷
校　對—吳若權、郭玢玢
董事長
發行人—孫思照
總經理—莫昭平
總編輯—林馨琴
出版者—時報文化出版企業股份有限公司
台北市10803和平西路三段二四〇號三樓
發行專線—（〇二）二三〇六—六八四二
讀者服務專線—〇八〇〇—二三一—七〇五・（〇二）二三〇四—七一〇三
讀者服務傳真—（〇二）二三〇四—六八五八
郵撥—一九三四四七二四　時報文化出版公司
信箱—台北郵政七九～九九信箱
時報悅讀網—http://www.readingtimes.com.tw
電子郵件信箱—ctliving@readingtimes.com.tw
法律顧問—理律法律事務所　陳長文、李念祖律師
印　刷—華展印刷有限公司
初版一刷—二〇〇九年八月三十一日
定　價—新台幣二六〇元
⊙行政院新聞局局版北市業字第八〇號

國家圖書館出版品預行編目資料

讓步，才會更進步！/
吳若權著. -- 初版. -- 臺北市
: 時報文化, 2009.08
248面；14.8×21公分.--（吳若權作品集；22）

ISBN 978-957-13-5087-5（平裝）
855　　98014775

ISBN：978-957-13-5087-5
Printed in Taiwan

編號：CR0022	書名：**讓步，才會更進步！**
姓名：	性別：____ 1.男　2.女
出生日期：　年　月　日	連絡電話：

________ 學歷：1.小學　2.國中　3.高中　4.大專　5.研究所（含以上）

________ 職業：1.學生　2.公務（含軍警）　3.家管　4.服務　5.金融　6.製造　7.資訊　8.大眾傳播　9.自由業　10.農漁牧　11.退休　12.其他

通訊地址：□□□________縣（市）________鄉鎮區________村________里
________鄰________路（街）________段________巷________弄________號________樓

E-mail address：________

（下列資料請以數字塡在每題前之空格處）

________ 購書地點
1.書店　2.書展　3.書報攤　4.郵購　5.網路　6.直銷　7.贈閱　8.其他________

________ 您從哪裡得知本書
1.書店　2.報紙廣告　3.報紙專欄　4.雜誌廣告　5.網路資訊
6.親友介紹　7.DM廣告傳單　8.其他________

________ 您希望我們為您出版哪一類的作品
1.心理　2.勵志　3.成長　4.潛能　5.知識　6.其他________

您對本書的意見
________ 內容　1.滿意　2.尚可　3.應改進
________ 編輯　1.滿意　2.尚可　3.應改進
________ 封面設計　1.滿意　2.尚可　3.應改進
________ 校對　1.滿意　2.尚可　3.應改進
________ 定價　1.偏低　2.適中　3.偏高

您的建議

____

____

____

____

請沿虛線撕下後對折裝訂寄回，謝謝！

讓吳若權的文字，陪你品嚐幸福的滋味，發現生命的光華。

吳若權
ERIC WU

作品集

我們非常重視您對本書的意見，請踴躍寄回本卡，將可獲得吳若權的最新出版訊息。

請沿虛線撕下裝訂，謝謝！

時報出版

地址：台北市10803和平西路三段240號5F
電話：（0800）231-705（讀者免費服務專線）
（02）2306-6842·2304-7103（讀者服務中心）
郵撥：19344724時報出版公司

請寄回這張服務卡（免貼郵票），您可以——

●隨時收到最新消息。
●參加專為您設計的各項回饋優惠活動。

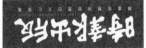

❤ What About Love......